PROPOS RUSTIQUES

NOËL DU FAIL

PROPOS RUSTIQUES

(1547)

Traduction en français moderne
et annotations par Aline Leclercq-Magnien
Présentation de Michel Simonin

Édité avec le concours de
l'Institut Culturel de Bretagne
Embannet Gant Skoazell
Skol-Uhel Ar Vro

Éditions Jean Picollec
47, rue Auguste Lançon, 75013 Paris
Tél. (1) 45.89.73.04

Contes :

Irène Frain Le Pohon, *Contes du cheval bleu les jours de grand vent* (repris en Livre de Poche Jeunesse, 1985; repris, en partie, sous le titre *Conte du sel et de la lune*, Éditions Chardon Bleu, Lyon, 1984).

Paul Féval, *Contes de Bretagne*.

François-Marie Luzel, *Veillées bretonnes*.

Douglas Hyde, *Contes gaéliques*.

Histoire :

Yvonig Gicquel, *Olivier de Clisson, connétable de France ou chef de parti breton?* (Prix de la Monographie bretonne. Prix Pascal Pondaven, 1981);

Alain IX de Rohan.

Essais :

Yann Brékilien, *La Mythologie celtique* (repris en poche par Marabout, 1983). 2ᵉ édition.

Alain Guillerm, *Le défi celtique*.

Témoignages – Récits :

Jacques Dubois, *Le Jardinier des mers lointaines, Tonton Yves pêcheur d'Islande* (traduit en islandais. Repris en Largevision par les Éditions Laurence Olivier Four, Caen, 1983).

Roger Faligot, *Nous avons tué Mountbatten. L'I.R.A. parle.*

Livres d'art :

Jean Hervoche, *Bretagne, espaces et solitude* (Sélection des Livres de l'Ouest, 1983).

Robert Henri Martin et J. M. Lo Duca, *de Rennes à Rennes.*

Us et coutumes :

Jean-Paul Ollivier, *Histoire du football breton;*

Histoire du cyclisme breton.

André-Georges Hamon, *Chantres de toutes les Bretagnes.* (Prix de la Fondation Paul Ricard, 1982.)

© Éditions Jean Picollec, 1987
ISBN : 2-86477-080-6
ISSN : 0246-9340

PRÉSENTATION

Rien de plus fréquent dans les paysages de l'Ancienne France que la silhouette courbée, industrieuse du paysan dont le labeur nourrit, outre les deux autres ordres, les bouches de la Ville, chaque jour plus nombreuses. Rien de plus rare que les livres où elle apparaît sous des traits convaincants, sinon tout à fait vraisemblables. De cette quasi-absence, qui est sans doute la plus irréparable des pertes de notre mémoire, on donnera mille explications et, selon son état, on excusera les clercs ou les plumes séduites par les grands de ce monde. Ce n'est pas ici notre office puisque nous présentons l'une des reliques sauvegardées de ce passé, l'un de ces textes que l'on ne peut manquer de citer lorsque, par aventure, on s'engage dans une histoire de la France rurale, tant ils sont rares.

Là est le premier mérite mais aussi l'inconvénient principal des Propos rustiques *de Noël du*

Fail : faute de titres homologues et contempo-
rains, leur lecture requiert de nous de la con-
fiance. Tâchons à ce qu'elle ne soit pas ingénui-
té. Et d'abord, voyons l'homme.

Vers 1520, dans le « manoir » – entendez une
maison familiale plus proche de la ferme que de
Chenonceaux – de Château-Letard naît Noël,
quatrième enfant mâle de François du Fail,
gentilhomme rural que l'on présente volontiers
comme « de moyenne fortune, de moyenne
noblesse » (L.-R. Lefèvre, Éditions Garnier,
1928). Qu'est-ce à dire? Que le futur écrivain est
issu d'une lignée distinguée par l'épée dès le
XIVe siècle, mais dont l'existence ordinaire est,
depuis de longues générations déjà, rurale. On
verra qu'à l'occasion ses membres savent s'en
souvenir. Les du Fail vivent à la campagne, de la
campagne et, pour autant que la documentation
permet de le deviner, assez bien.
  Si les aînés gèrent les terres, que deviennent
les puînés? Un grand-oncle de Noël, maître Jean
du Fail, mort en 1525, enterré dans le cloître de
Saint-Melaine à Rennes, avait, le premier sem-
ble-t-il de sa famille, a montré la voie : juriste, il
avait exercé dans cette ville les fonctions de
procureur et de lieutenant du sénéchal de la
Cour. Orphelin de bonne heure, Noël est élevé
par son frère aîné François II. Comme Ronsard

ou, plus tard, Rousseau et Nerval, il subit l'influence de son oncle. Eustache, juriste lui aussi, dont il dira dans la préface de ses Arrêts qu'il était « homme prudent et d'un libre et équitable jugement », est chargé d'affaires importantes pour le lieu où il agit : ne le voit-on pas représenter en 1554 Gabriel, comte de Montgommery, dont la lance percera l'œil de Henri II en 1559, avant d'organiser la résistance protestante dans l'Ouest et de périr lors de la Saint-Barthélemy ? Quoiqu'anecdotique, ce contact indirect avec l'un des grands du royaume montre bien que la condition de gentilhomme rustique, pour crottée qu'elle paraisse souvent, ne s'en montre pas moins, quand l'occasion s'en présente, riche en virtualités de promotion sociale.

Nous ignorons ce que furent les vertes années bretonnes de Noël du Fail, ou plutôt nous n'en pouvons parler que par conjecture. La tentation est grande de voir dans le petit enfant que Thenot du Coin conduit par la main au travers des champs dans le chapitre VII des Propos rustiques un souvenir autobiographique, aiguisé par la reconnaissance envers celui qui s'entendait si bien à tailler un couteau de bois, un moulinet, une flûte d'écorce de châtaignier, une sarbacane de sureau, un arc de saule avec une « flèche de chenevote », un cheval de bois. Le narrateur des Baliverneries a de même assisté en sa prime *jeunesse à une scène de panique (chap. III).*

Le voici maintenant, quelle qu'ait été son existence antérieure, à Vern, sous la férule de « ce docte sophiste Caillard ». C'est là, pourrait-on dire, une pédagogie de proximité, celle que les familles de Bretagne pratiquent le plus volontiers par souci d'économie et sans doute aussi par tendresse, aussi longtemps qu'il ne devient pas indispensable d'éloigner les fils pour les envoyer dans de lointaines universités. Noël, devenu docte, ne parlera pas de Caillard, qui « eût bien prouvé à fine force d'arguer que vous eussiez disné encore que vous n'eussiez rien mangé que vostre mors de bride, comme les mules de Panurge », avec trop de sévérité, si l'on a égard à la fois aux habitudes du temps et à l'amélioration constante du niveau des maîtres et des régents tout au long du XVIe siècle. Au reste, il lui devra (et conviendra lui devoir) un « assez bon commencement aux lettres », ce qui n'est que justice car Caillard avait étudié à Paris et peut-être en même temps « régenté ». Gradué en grammaire, il revenait parfois dans son pays et s'entretenait alors en donnant des leçons.

Est-ce lui qui entraîne Noël à Paris, ou bien la parentèle qui l'y engage, consciente de la nécessité et de l'intérêt de cet investissement? Nous ne le savons pas. Mais du Fail emprunte là une route familière à ses compatriotes. Paris ne compte-t-il pas un nombre de collèges bretons supérieur à celui qui existe dans la Bretagne même? La reconstitution minutieuse de ces années d'apprentissage à laquelle s'est livré Emmanuel Philipot, dans sa thèse, permet d'en proposer un tableau probable, sinon authentique. C'est encore fort jeune que notre héros arrive dans la capitale. Il s'agit pour lui de compléter ses premières études. Il n'est pas seul, un « meneur d'ours », parent ou ami âgé et pauvre, l'accompagne et le surveille. Caché sous le personnage de Lupolde, un des trois devisants habituels des Baliverneries et des Contes d'Eutrapel, il se nommait en vérité Colin Briand, originaire de la paroisse de Pleumeleuc dont le domaine de La Hérissaye faisait partie. Ancien étudiant en droit, il avait vu, dans cet emploi auprès d'un cadet du Fail, une aubaine qui lui permettait de parachever ses études et, le cas échéant, de prendre ses degrés.

L'irruption dans la grande ville frappe l'imagination de l'écolier, qui se souviendra encore dans son âge mûr des grosses cloches de Notre-Dame (auprès desquelles celle de Rennes ne soutient pas la comparaison, malgré sa réputation), de la « vénérable statue de maistre Pierre Cugnet » ou encore de « cet horrible mange-chair, le cimetière sainct Innocent », dont la

11

terre, quoique saturée de cadavres, présentait la singularité de digérer les corps en moins de dix jours. Après avoir franchi la Seine pour gagner le quartier de l'université, le tourisme monumental cède la place à un tourisme sentimental. Les collèges sont nommés et célébrés à proportion des exploits intellectuels des Bretons qui les ont fréquentés. Ici Montaigu, « ecce Montem Acutum, où jadis nostre maistre Antoine Tempestas tonna si topiquement »; « Ici est le lieu où dom Jean Margoigne » – très probablement un Malgorn – « fit sa tentative ». Lupolde évoquera encore le souvenir d'un voisin, natif d'une paroisse toute proche de la sienne, l' « honneste » Hervé de Clayes qui « harangua à plate cousture contre les premières et secondes intentions enclavées au haut bonnet de la sophisterie ». Les bourgades les plus illustres célébraient et encourageaient alors les efforts studieux de leurs fils : le 10 avril 1485, la municipalité de Rennes octroie à Bertrand Hervé, du couvent des Carmes, une gratification de dix livres « pour ayder audit religieux à faire sa feste de docteur à cet esté prochain ».

D'aussi édifiants exemples ne parvinrent cependant pas à garder l'adolescent des séductions parisiennes. Traité dès l'abord de « Jean le Veau » ou « Martin le Sot » par la gouaille du pavé, il a tôt fait de se déniaiser. A-t-il même passé

« d'abord quelque temps, peut-être quelques années, entre les murs du collège, sous la surveillance étroite des pédagogues », comme l'écrit Emmanuel Philipot? Rien n'est moins sûr, et c'est là une vision anachronique de la scolarité secondaire à laquelle il aura succombé. Nous ne savons pas si Noël fréquente le collège du Plessis, où Lupolde était boursier, le collège Sainte-Barbe ou encore l'un des collèges armoricains, comme ceux de Kérambert ou de Cornouaille, voire de Tréguier, dont la décadence n'est effective qu'à la fin du siècle.

A l'époque des vendanges, qui est aussi celle des vacances, les écoliers, nombreux à n'être pas partis faute d'argent ou en raison des distances, voient leurs conflits avec le guet s'aggraver, d'autant plus que ces jeunes gens conservent le souvenir proche de leurs vagabondes années : « Que j'etois fâché », dira Francion dans le roman de Sorel, alors qu'il vient de quitter sa Bretagne pour un collège parisien, « d'avoir perdu la douce liberté que j'avois (...) allant abattre des noix et cueillir du raisin aux vignes sans craindre les messiers! »

Toutefois, on se gardera de tirer de la discrétion qu'observe du Fail à l'endroit de ses études proprement dites la conclusion qu'il les négligeait. Son silence est plus affaire de contrainte de genre (à quoi bon rapporter l'ordinaire du

13

travail estudiantin dans des livres de divertissement?), qu'indice de mauvaise conscience. Pour ses maîtres, il court les libraires, « Collinet » – entendez Simon de Colines – « Robert Estienne son gendre », Vascosan ou Wechel, qu'il trouve honnêtes commerçants. Et, sur le tard, convaincu qu'il ne tient plus qu'à lui que le nom de ses maîtres éminents soit connu de l'ingrate postérité, il mentionnera « maistre Jean Ricaut, Jean Boucher, Jean Reffait, Caillard, dom Bertrand Touschais, dom Jacques Mellet », tous Hauts-Bretons exilés à Paris où ils formaient une « pédagogie », comme les Bas-Bretons avec lesquels ils fraternisaient au moins le jour « fatal et dévot pour nous autres Bretons » de la Saint-Yves. Alors toute discipline et tous rangs étaient abolis, « Pedans, Regens et Fesseculs de la nation » acceptant de chopiner avec les grimauds.

Ce train fut interrompu par l'arrivée d'un messager académique qui manda à Noël qu'on songeait à le marier; il accomplit à cette nouvelle un voyage inopiné au pays, en 1543. Il est encore à Château-Letard au mois d'octobre. Revenu à Paris, il semble avoir quelque peine à reprendre l'existence sinon industrieuse, du moins vouée à l'étude deux à trois heures par jour, qui avait été la sienne auparavant; il court alors « tous les basteleurs de la ville et assemblées des enfants perdus et matois », parmi lesquels il rencontre un Rennais, Tailleboudin, devenu gueux après avoir consumé l'héritage paternel. Plus précieux comme informateur que comme compagnon, le drôle servira à nourrir les Propos rustiques. Noël hante encore les nombreux bordels de la capitale auxquels Villon, Marot et d'autres avaient déjà donné une réputation littéraire. Et surtout, il fréquente les « académies de jeux », dont le jeu de paume est le plus innocent, et les dés et les cartes les plus dangereux. Pour finir, il escroque Lupolde de cinquante écus, avant d'être à son tour dépouillé par un Provençal de la rue Saint-Antoine, qui tenait brelan sous couleur de dire la bonne aventure. Ce qui le détermine, dans l'impossibilité où il se trouve de rentrer au pays, comme de demeurer, à courir l'aventure, c'est-à-dire en l'espèce participer à l'expédition militaire en Piémont de 1543-44, en qualité de piéton. Il participe à la bataille de Cérisoles. Le retour sera difficile : sans argent, il est contraint de quémander et peut-être à cette occasion de mettre en pratique les leçons de gueuserie données par Tailleboudin. Mais au bout de ses « finances et finesses », il lui faut fesser « maistre Laurent Valla », c'est-à-dire donner des leçons de grammaire, pour survivre, activité moins prodigieuse mais plus sûre, et accoutumée *chez les voyageurs. A l'été de 1544, il est au bercail.*

La période qui suit, bien que de grande conséquence pour éclairer la conception, la rédaction et la publication des Propos rustiques, *est encore plus mal connue. De 1544 à 1547, Noël du Fail poursuit sa formation juridique dans diverses universités provinciales. Commence-t-il par Angers ou par Poitiers? Il est presque certain que ce « tour » s'achève à Bourges où enseignait le Léonard Eguinaire Baron depuis 1542. Comme du Fail rapporte une leçon à laquelle assiste le chancelier de L'Hospital qui se rend aux Grands Jours de Riom (13 septembre-10 novembre), nous sommes à l'automne de 1546. Or l'auteur des* Propos rustiques *parle de cette solennité au futur : « et est encore par deffault de suyte le procès indécis, et au croch, qui ainsi que je pense sera vuydé aux grands jours de Rion ». On tiendra donc que du Fail a passé l'année universitaire 1546 à Bourges, où il a rédigé (ou à tout le moins achevé de rédiger) le recueil que l'on va lire.*

Quitte-t-il ensuite le Berry pour se rendre à Lyon, afin de porter son manuscrit à l'imprimeur Jean de Tournes? Ni l'hypothèse, ni le voyage ne sont nécessaires. C'était l'usage au xvi siècle de recourir à un ami officieux pour ce genre de service et, à quitter l'université de*

16

Bourges pour le Sud-Est et l'Italie, les étudiants ne devaient pas être rares qui eussent pu se charger de la mission. Mais comme il est certain que du Fail a étudié en Avignon, on peut aussi penser qu'il a pris langue sur le chemin avec son éditeur, si c'est bien à cette époque qu'il a effectué ce voyage.

Quoi qu'il en soit, il est de retour à Rennes, « licencié aux lois », en 1548. Désormais, son existence, à laquelle cependant il ne se résigne pas encore tout à fait, est tracée. Il poursuivra au pays une carrière juridique que la présence d'un parlement à Rennes peut stimuler et qu'en l'espèce elle couronnera. Malgré une seconde participation à l'aventure italienne en 1550-1551, c'est désormais un homme rangé que Noël du Fail, marié vers 1552 à Jeanne Perrault (de qui il n'aura pas d'enfant), juge au présidial avant de trouver une place longuement briguée au parlement. Nous laisserons ici sa carrière qui n'intéresse plus les Propos rustiques, d'autant plus qu'il n'eut garde au cours de sa longue vie (il mourra à Rennes le dimanche 7 juillet 1591) de rééditer à visage découvert cette œuvre de jeunesse :

Tam bene qui juvenis scripsisti Rustica Verba *

* Toi qui, au cours de ta jeunesse, écrivis si bien des Propos rustiques.

se plaira à souligner le savant historiographe Du Haillan en 1579, sans parvenir à l'aiguillonner.

Il est vrai que les rapports de du Fail – qu'il sorte des Écoles ou, à l'opposé, qu'il achève sa carrière – avec ses œuvres narratives ne sont pas simples et dissimulent peu un malaise auquel la nature de son inspiration n'est pas étrangère. Rabelais signait Alcofribas Nasier; notre Haut-Breton porte le masque de Léon Ladulfi, « Champenois », où l'équivoque entre « originaire de la province de Champagne » et campagnard, plus spécialement originaire des champagnes ou gaigneries, (pâturages communs où l'on menait pâturer les bestiaux une fois la récolte faite et les clôtures levées), est entretenue de propos délibéré. L'année suivante, en 1548, Les Baliverneries d'Eutrapel *introduisent Eutrapel, dont les éditions interpolées préciseront, afin que nul n'en ignore, qu'il est « autrement dit Léon Ladulfi ». A ces subterfuges, assez fréquents dans le genre narratif facétieux, du Fail en ajoutera un autre en 1585 lorsqu'il publiera ses* Contes et discours d'Eutrapel, *attribués au « feu Seigneur de La Hérissaye, gentilhomme breton ». Non content de se donner pour mort, il ira jusqu'à s'inventer un éditeur imaginaire, Noël Glamet de Quimpercorentin, qu'il établit, pour plus de vraisemblance encore, à... Rennes, alors* que l'ouvrage sort des presses parisiennes de Jean Richer.

Ce jeu de masques, ces leurres qui n'abusent que ceux qui le veulent bien, loin d'être dus à un souci de prudence ou encore à la volonté de ne pas obérer un rang social – autant de préoccupations étrangères à la Renaissance –, procèdent d'abord d'un scrupule. Les pierres vives sur lesquelles bâtit du Fail sont les paysans qu'il a connus dans sa jeunesse. Mais, pour proches que lui soient les hommes, leurs mœurs et leur culture, il ressent toute la difficulté de leur faire place dans la littérature et doute pour commencer d'être compétent dans cet emploi. Les Propos rustiques *sont rustiques, comme le* Roman comique *de Scarron est comique : l'un dit la vie comique des comédiens; les autres renferment, tissus à la diable, avec la maladresse congruente, les paroles des vilains. Il n'a pas échappé à l'écrivain débutant que la modestie, voire – aux canons du temps – l'ignominie du sujet qu'il s'était donné, loin de faciliter sa tâche, ajoutait à la difficulté. Au reste, il n'est pas certain que dans leur premier dessein, les* Propos rustiques *aient prétendu à autre chose qu'à illustrer, sous la forme à la mode du dialogue, le thème lui aussi très couru des délices de la vie campagnarde, contre les dangers de la Ville et de la Cour. Les catalogues de libraires d'alors sont pleins de cette littérature, à commencer par celui de Jean de Tournes chez qui du Fail verra le jour.*

Le jeune licencié cite donc le De Rustica *de* Caton, *le* De Officiis *de Cicéron, les* Géorgiques *de Virgile et les* Carmina *d'Horace; il connaît l'*Histoire naturelle *de Pline et, chez ses contemporains, l'œuvre de François Rabelais, présente à chaque page, voire à chaque ligne. On doit se souvenir qu'il use de ce savoir livresque non pour diminuer son mérite mais, au contraire, afin de faire ressortir avec quelle virtuosité il a su se tirer de l'entreprise difficile dans laquelle il s'était aventuré. Avec un brin de malice, la pièce de « G.L.H. » qui, seule de son espèce, salue les* Propos rustiques, *ne manque pas de le souligner :*

Tel cuide au vray le Badin contrefaire,
Où le voyant est rendu peu content,
Entreprenant imprudemment de faire
Cela à quoy n'est apte aucunement.
Mais toy, tu as si bien et proprement
Descrit les mœurs de la vie champestre,
Que très civil à tous t'es fait congnoistre,
Œuvre (ma foy) où n'est facile attaindre,
Pourtant qu'il fault parfaictement sage estre
Pour le vray fol bien naïvement feindre *.

* Voir p. 29.

Du Fail ne pouvait rêver à croquer la « vie champestre » sans l'orner des références humanistes ordinaires, sous peine de passer pour peu « civil ». Et l'on a vu que, selon nous, c'était là, à l'origine, rien moins que son dessein. Cependant, parvenu au point de mettre en scène, il était à la fois sommé de franchir les obstacles qu'il s'était donnés, et encouragé à explorer un monde inconnu à la Littérature, sinon aux lettrés eux-mêmes. La nouveauté des Propos rustiques, comme leur valeur immense pour le lecteur du XXe siècle, tient à leur vérité, une vérité née non des convictions pastorales de leur auteur, ni d'un projet esthétique ourdi avec soin, mais de la nécessité où se trouve l'auteur à chaque phrase, face à chaque personnage, de s'accrocher à la réalité, à défaut de pouvoir s'appuyer sur une tradition. D'un mot, du Fail invente ici un nouveau système de représentation parce que les anciens ne suffisent pas pour rendre l'objet qu'il prétend représenter.

Que l'on ne croie pas la tâche ingrate et le résultat austère. Le monde des Propos rustiques boit, mange et parle, dans l'odeur forte des aisselles allègres de commères dansantes. Le curé y est compétent à souhait pour le quotidien, au point que l'on s'inquiètera du temps qu'il lui reste pour soigner les âmes. La richesse d'un village se compte, en chiffres quelque peu maquignons, convenons-en, par la vigueur de sa démographie masculine. Et gare aux garçons vertueux fourvoyés dans les tavernes ou séduits par la route, ils finissent mal, alors que leurs forces eussent été si précieuses dans leur paroisse. La meilleure façon de ne pas sortir du droit chemin, semble nous dire cette sagesse, c'est de ne pas partir.

A l'ordre des choses, te soumettra et point trop ne parlera. La paysannerie haut-bretonne a ses commandements. Il n'est pas besoin de courir loin pour trouver querelle, le voisin, ou pire, le village voisin, y suffisent. Et il y a tout à craindre de l'affrontement de ces corps musculeux de paysans, « moitié plus forts, robustes et allègres que les gens des villes » — et, pour cette raison, fort prisés à la guerre.

Enfin, et c'est à ce trésor perdu que du Fail donne l'essentiel de ses soins, si les villages vivent autrement, c'est qu'ils pensent de façon différente. Nous sommes à ce moment unique de l'histoire culturelle occidentale où les élites se penchent volontiers sur les cultures populaires, (rurale comme urbaine), sans que ces dernières en conçoivent le sentiment d'infériorité qui, joint à la répression, précipitera leur disparition. Dans les Propos, les rustiques affirment la supériorité de leur condition sur celle, servile, de leurs congénères partis à la ville pour s'y placer. De même avouent-ils leurs croyances, confessent-ils leur attention aux signes de la nature, sans pudeur ni honte. Loin d'être fermés au progrès, ils viennent d'accueillir, dans une bibliothèque à leur mesure (qui n'est guère différente de celle de la noblesse d'épée contemporaine), les premiers imprimés, partie pour se divertir, partie aussi en raison de leur utilité présumée : à défaut de prévisions météorologiques, le « Kalendrier des Bergers » renferme de quoi rassurer les cultivateurs.

Si les paysans des environs de Rennes n'avaient pas plaint la misère du temps présent, du Fail, trop bon élève, n'aurait pas manqué de leur faire regretter un âge d'or défunt. Le « Champenois » Léon Ladulfi pleure les champs sans clôtures. Et ses devisants sont vieillards chenus qui rêvent à haute voix un passé où de grands enfants de trente ans apprendraient, de la bouche de leur grand-mère, comment les hommes se reproduisent. Peu importe que, quelques pages plus loin, s'aperçoive un lourdaud qui trousse comme un soldat une malheureuse sur une malle, et que ce récit graveleux paraisse alors déplacé dans la bouche où on l'a mis. Les limites de du Fail ethnographe sont fixées par l'ambition de l'écrivain du Fail. Lorsque ce dernier souhaite faire voir sa virtuosité dans le traitement d'un lieu commun (par exemple *l'avarice des femmes), l'autre cède la place, et avec lui la part de reconstitution folklorique.*

C'est ici la raison profonde de la difficulté d'un livre qui hésite sans cesse entre plusieurs vocations, et celle de la prudence de son auteur. Fait significatif, l'une des éditions de 1548 s'intitule non pas Propos rustiques, *mais* Discours d'aucuns propoz rustiques facécieux et de singulière récréation, *où, par un probe souci de rigueur, le caractère doublement fabriqué du livret est reconnu, comme par provision. Néanmoins, malgré les belles études d'Arthur de La Borderie, Emmanuel Philipot (mon lointain prédécesseur dans l'enseignement de la littérature du XVIᵉ siècle à l'université de Rennes, à qui je souhaite rendre ici un particulier hommage), Charles Dédeyan, Gaël Millin et enfin Gabriel-A. Pérouse, les* Propos rustiques *attendaient hier encore l'indispensable édition critique que Philipot eût pu et dû nous donner. Nous savons aujourd'hui que notre collègue et ami Gabriel-A. Pérouse y met la dernière main : souhaitons de l'avoir au plus tôt dans les nôtres.*

Quoi qu'il en soit des avatars de l'œuvre de du Fail dans le monde des érudits, il nous a paru urgent d'encourager (et maintenant de saluer) une traduction des Propos rustiques *en français moderne. C'était là le prix à payer pour offrir à du Fail le large public que mérite son œuvre.*

Aline Magnien, agrégée des Lettres, a bien voulu se risquer dans une entreprise rendue plus difficile encore par l'absence d'édition de référence (la seule disponible sur le marché, celle de Pierre Jourda dans les Conteurs français du XVIᵉ siècle *de la Bibliothèque de la Pléiade, n'est qu'une compilation fautive de la très honnête édition La Borderie, vieille d'un siècle). Elle nous paraît avoir triomphé des pièges d'une langue trompeuse, s'appliquant tout particulièrement à prévenir les faux sens ou les contresens que les variations sémantiques à travers le temps font commettre aux lecteurs contemporains. La rigueur élégante de sa langue, qui ne va pas sans maintenir ici ou là quelques archaïsmes, pour peu qu'ils soient de tous intelligibles, sert les* Propos rustiques *et assume la fonction apéritive qui devrait être celle de toutes les traductions : susciter l'envie de courir à l'original, fût-ce au prix d'un long apprentissage. Ce ne serait pas petite gloire pour du Fail et sa savante servante si le petit livret de 1547 – promu pour la circonstance au rang de Rabelais et Montaigne, les seuls (ou à peu près) des auteurs français du XVIᵉ siècle à être aujourd'hui disponibles en version moderne –, liant l'utile à l'agréable, parvenait encore à instruire en amusant le plus grand nombre.*

Michel Simonin

25

LES « PAYS » DE DU FAIL
ET DES *PROPOS RUSTIQUES*

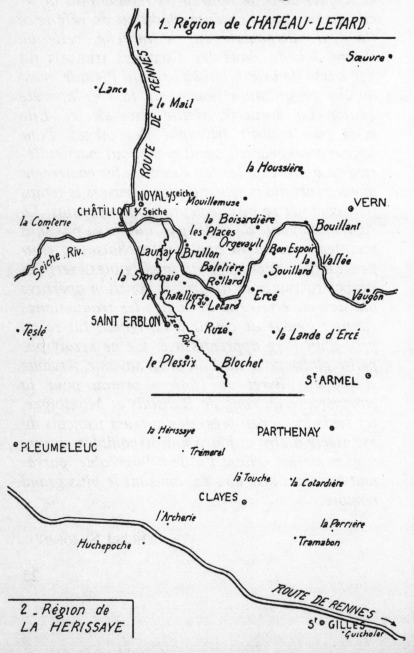

1 - Région de CHATEAU-LETARD

Sœuvre

Lance
le Mail
ROUTE DE RENNES
la Houssière
NOYAL s/Seiche
Mouillemuse
VERN
CHÂTILLON s/ Seiche
la Comterie
la Boisardière
les Places
Bouillant
Orgevault
Seiche Riv.
Launay
Brullon
Bon Espoir
la Vallée
Baletière
Souillard
la Simonaie
Rollard
les Chatelliers
Ch du Letard
Ercé
Vaugon
TESLÉ
SAINT ERBLON
Ruzé
la Lande d'Ercé
le Plessix
Blochet
St ARMEL

la Hérissaye
PARTHENAY
PLEUMELEUC
Tréméral
la Touche
la Cotardière
CLAYES
l'Archerie
la Perrière
Huchepoche
Tramabon
ROUTE DE RENNES
2 - Région de
LA HERISSAYE
St GILLES
Guicholet

PROPOS RUSTIQUES

G.L.H. À L'AUTEUR *

Tel pense vraiment contrefaire le sot, mais le spectateur s'en trouve peu content car celui-ci entreprend sans réflexion de faire ce qui ne lui convient aucunement.

Mais toi, tu as si bien et si convenablement décrit les mœurs de la vie champêtre, que tu t'es fait connaître à tous comme très civil. Le but, ma foi, n'est pas facile à atteindre parce qu'il faut être parfaitement sage pour imiter au naturel le vrai fou.

* Voir le texte original dans la présentation de M. Simonin, p. 20.

MAÎTRE LÉON LADULFI
AU LECTEUR, SALUT

Les philosophes et les jurisconsultes ont pour habitude d'expliquer une chose par son contraire; par ce moyen, ils donnent de leur sujet une connaissance plus sûre et plus solide que s'ils laissaient son opposé dans l'ombre pour en parler tout de suite.

Quand ils veulent correctement décrire la Vertu, ils peignent le Vice sous toutes ses formes; pour la Liberté, la Santé, le Froid, ils s'étendent sur les termes inverses, la Servitude, la Maladie, le Chaud; cela donne du contraire précité une présentation beaucoup plus naturelle et élégante.

Ainsi, comme les propos de certains rustiques – que j'appelle paysans, vilains [1] ou roturiers – sont entre nos mains, il ne sera pas, semble-t-il, hors de propos de faire un sommaire et bref commentaire sur ce mot et son attribution. Or, je le ferai bien plus aisément en prenant ce qui lui est, comme l'on dit, diamétralement opposé : la noblesse. Pas celle dont se sentent et se prétendent embellis et armés un tas de philosophes et d'alchimistes, mais celle primitive et initiale qu'on appelle la noblesse de race.

Pour reprendre les choses de plus haut, en ce bon vieux temps que certains nomment l'Age d'or, il n'y avait aucune différence entre les hommes : pas de prééminence, de haut rang ou d'autre point d'honneur. Ils étaient égaux, ni partagés, ni divisés, et jouissaient d'une vie communautaire si tranquille et si louable qu'elle n'a laissé à la postérité que les regrets et l'envie d'une pareille époque.

Ils ne se souciaient pas du déjeuner, sauf quand la faim les contraignait à aller aux glands ou aux fraises, ou bien à faire sécher au soleil la chair de quelque bête prise par eux à la course : ils habillaient de sa peau celui qui en avait le plus besoin. Ils vivaient au jour le jour; le premier à la porte passait sans préséance; ils ne se faisaient pas prier pour laver leurs mains et encore moins pour s'asseoir à table; aussi bien, ils buvaient dans leur bonnet comme dans leur main, couchaient tous indifféremment dans une caverne comme le font aujourd'hui les bohémiens; et là pissaient, chiaient, faisaient la bête à deux dos, les uns devant les autres, sans faire les farouches et sans cérémonies.

Noblesse, Paysannerie, Liberté, Servitude leur étaient à l'époque inconnues, de même que les autres inventions de semblable farine qui ont envahi le droit de nature. Mais ils ne demeurèrent guère dans cette paisible et humble façon de vivre : leur nombre s'accrût et augmenta si fortement que diverses querelles commencèrent à surgir entre eux. Jamais en effet nous ne restons fermes et constants dans notre bonheur.

Peut-être Marion souriait-elle plus volontiers à Robin qu'à Gautier : ainsi naquit leur habitude de se battre pour la ribaudaille, et celle-ci dure toujours. Ou bien l'un avait une meilleure pelisse que l'autre alors qu'elle devait lui revenir puisqu'il était le plus vieux. Ou d'aventure, l'un avait mangé le gland pendant que l'autre secouait la branche.

Tout cela les incitait tant à la guerre et à la discorde qu'ils se combattaient fréquemment à beaux coups de poings, de bâtons, de pierres, et se traînaient les uns les autres par les cheveux à s'écorcher le cul. C'était pitié car ils n'eurent longtemps d'autre façon de se battre : aussi, celui qui avait une mâchoire d'âne était-il bien armé! [2]

Dans ces combats, les plus forts avaient l'avantage; les faibles étaient donc contraints de se réfugier dans les cavernes et de s'écarter le plus possible. La trop grande familiarité commençait à provoquer des jalousies. D'autres se retiraient plus loin, seul à seule, pour acquérir des biens propres, sans plus rien remettre à la communauté précitée.

Tout ceci fut si bien mené et persista tellement avec le temps que les plus forts commencèrent à subjuguer et à plonger dans la crainte les plus faibles et les plus humbles, prenant sur eux un extraordinaire empire. Voyant cela, ils choisirent l'un d'entre eux par un vote commun, le plus robuste, le plus sage et le plus habile, pour être leur guide et leur maître absolu; sur lui ils pourraient se décharger de leurs affaires privées (déjà en effet les états et les affaires publiques réclamaient une administration) et recourir à lui si un désaccord ou un différend s'élevaient entre eux.

Ce maître, ou chef, commença à en faire des soldats, à les dresser comme des faucons, à les tenir en éveil, à les mettre en campagne, et plus loin encore, si bien qu'en se voyant plus hardis et plus gaillards que les autres, ils ne se contentèrent pas de leurs propres frontières, mais mordirent sur le territoire de leurs proches voisins par de continuelles incursions.

Dans ces escarmouches – Dieu sait combien organisées! – ils se faisaient mutuellement prisonniers, comme, vous le savez, on le fait aux barres [3]. Le prisonnier – d'où viennent la prison,

34

l'emprisonné, le geôlier et la suite – était retenu en un esclavage perpétuel comme un coquin, un maraud, un vaurien.

Mais, afin que ce gouverneur soit reconnu comme le premier et le plus éminent de tous, ils lui donnèrent chacun, d'un commun avis, une partie de leur butin ou de leur prise, en signe de reconnaissance. Ainsi lui versaient-ils un tribut. Toutefois, voyant que le profit personnel commençait à avoir son importance, il dispensait certains de cette rente ou contribution; avant d'entrer dans la bataille, il promettait au meilleur soldat, à l'assaillant le plus hardi, au plus robuste combattant, à celui qui causerait le plus vif ébranlement à l'ennemi... quoi donc? l'exemption ou l'immunité des contributions évoquées ci-dessus qui lui étaient dues en raison de sa supériorité.

Dès lors, il y avait presse : c'était à qui serait au premier rang, qui le premier ferait une brèche, qui le premier porterait l'enseigne. Ils tendaient tous vers un même but avec une pareille ardeur et se trouvaient le plus souvent vainqueurs; alors que si rien ne leur avait été proposé pour leur service, ils eussent compté sur les autres, au plus grand avantage de leur salut personnel.

Ils appelèrent cette exemption Noblesse, premier mot qui leur vint à la bouche – la mode étant alors d'attribuer aux sons des significations. Ainsi, par leur hardiesse et leur vive adresse aux armes (car ils plaçaient au second rang toute crainte de la mort), acquéraient-ils ce qu'on déniait vilainement aux autres qui avaient tourné le dos et pris le large sans courir de danger.

C'est pourquoi les anciens Carthaginois donnaient autant d'anneaux à leurs soldats – en hommes reconnaissant avec sagesse les services rendus – qu'on comptait de batailles auxquelles ils avaient pris part : c'était un signe de perpétuelle noblesse. Les Romains, ces vaillants conquérants, honoraient leurs hommes d'armes d'autant de couronnes – digne récompense du mérite! – que de campagnes auxquelles ils avaient participé; ils étaient ainsi anoblis. Et quoi? les Macédoniens respectaient scrupuleusement cette loi : qui n'aura pas dans la bataille occis un ennemi sera lié, ficelé et attaché à un poteau en signe d'ignominie. Les Germains ou Allemands n'avaient pas le droit de se marier avant d'avoir – coutume autrement vilaine – présenté la tête de leur ennemi à leur roi. Chez les Scythes, on offrait dans les banquets une pleine tasse de vin à la compagnie et celui qui n'avait pas tué son ennemi à la guerre n'avait pas le droit de la prendre, comme s'il eût été un vilain et n'eût pas mérité cet honneur. Dans la Bible, Mardochée, un Hébreu, fut anobli par Artaxerxès; et pour les mêmes motifs, Joseph le fut par Pharaon.

Pour ces raisons, comme ils tendaient vers un semblable but, poussés par une honorable ambition, leur nombre s'accrût beaucoup, voire trop; si bien que, pour se distinguer du populaire, ils s'appelèrent désormais Nobles. Les autres, qui tiennent pour assuré que la meilleure manière de fuir est de partir de bonne heure, furent appelés Plébéiens, Paysans, Vilains, Campagnards.

Pour ces nobles, il se trouva des historiographes de leurs batailles, faits et gestes. Alexandre le Grand devant le tombeau d'Achille les appelait les trompettes et les hérauts de la renommée; ils ont été tellement ingrats envers nos campagnards que, traitant seulement des hauts et excellents exploits de ces puissants Seigneurs, Monarques et Primats, ils n'ont pas voulu s'abaisser jusqu'à dire – au moins – qu'il en exista à leur époque. La raison en est en effet que vertu sans richesse, comme le dit Callimaque *, demeure inconnue.

Certains toutefois, ayant le jugement plus sûr et l'œil plus aiguisé, ont été bien conscients de la commodité offerte par la campagne et de sa félicité; ils n'ont pas dédaigné d'en traiter assez amplement : Caton, ce sage et grave Romain, en a écrit et établi les lois; il affirmait avec force qu'un laboureur est un homme de bien. Selon

* Poète grec, né en Libye au IVᵉ siècle av. J.-C.

Cicéron, rien ne peut être plus agréable à l'homme libre que l'agriculture : il en faisait l'expérience dans sa villa de Tusculum. Virgile, qui n'aima pas moins fréquenter les champs qu'en parler, qualifie le laboureur et celui qui habite la campagne de fortunés. Horace les dit heureux. Végèce *, noble compagnon par ailleurs, et bien instruit dans l'art militaire, veut que l'homme de guerre soit élevé à la campagne; aussi les enfants des princes étaient-ils élevés autrefois à la campagne, et non dans les raffinements des villes. Aglaus, ce pauvre Arcadien, ne fut-il pas jugé l'homme le plus heureux de tout le pays par l'oracle d'Apollon – s'il faut y ajouter foi?

Voyons, combien d'empereurs ont-ils laissé l'administration de magnifiques et superbes empires, leur pompe, leur rang élevé et leurs triomphes pour se retirer à la campagne et y jouir de l'aisance et des commodités qu'elle offre? Ils y ont passé en toute tranquillité le reste de leur âge; ainsi Périclès, ce sage Athénien, Scipion l'Africain, l'empereur romain Dioclétien, Caton le censeur ou le consul M. Curius **; joignons-y ces philosophes innombrables, jaloux du bonheur et de la félicité de nos campagnards, qui, pour

* Écrivain militaire latin du IVe siècle.
** Manius Curius Dentatus fut consul en 290 av. J.-C.

philosopher à leur aise, ont installé leurs écoles à la campagne : les Stoïciens, les Druides, Platon dans son Académie, Sénèque, ce sage philosophe, et d'autres en nombre infini.

En revanche, combien de paysans, bons laboureurs, ont-ils été enlevés à leur charrue pour prendre l'administration d'états forts et puissants, qui, sans eux, auraient été en ruine et en désordre et, comme l'on dit, en panne ? Ce vaillant laboureur Q. Cincinnatus en témoignera amplement tout comme Attilius Calatinus *, bon et excellent vigneron, Fabricius **, noble jardinier, Attilius Regulus ***, dont le souvenir durera tant que seront en vigueur la charrue, le soc, le coutre, le fouet et le timon.

Si nous examinons en quoi consistait principalement la richesse dans l'Antiquité, nous ne trouverons que bœufs, vaches, moutons, oisons et autres bestiaux, si bien que Servius, roi des Romains, fit frapper des bœufs et des moutons sur la première monnaie romaine : il nous en reste les moutons à grande laine [4].

Le sujet nécessiterait un discours plus ample que ne le souhaiteraient peut-être les oreilles

---

* Attilius Calatinus fut deux fois consul au milieu du IIIᵉ siècle av. J.-C.
** Fabricius fut deux fois consul au début du IIᵉ siècle av. J.-C.
*** Regulus fut consul en 267 av. J.-C.

d'un délicat; toutefois, comme ce n'est pas là mon principal sujet, j'ai introduit ces quelques arguments pour montrer, du moins tâcher de le faire, l'origine de nos Rustiques à travers leur contraire.

Contente-toi donc, ami lecteur, de ce bref exposé que je t'offre; il est – libre à toi d'en juger – mal disposé et de peu de grâce; mais songe à l'honneur et au droit d'écrire des choses basses et humbles qui n'exigent pas un style élevé ni de grandes façons de parler : à tel saint, telle offrande; à tel mercier, tel panier.

Et s'il ne te satisfait pas, je ne pourrai, comme pis-aller, que te prier d'agréer ce présent si modeste, comme tu accepterais d'une simple bergère une potée de lait caillé : car, dit Ovide, ceux qui n'ont pas d'encens pour le sacrifice offrent de la farine, ou ce que, dans leur pauvreté, ils possèdent.

Voilà, en me recommandant à ta bonne grâce et à Dieu.

I

D'OÙ SONT TIRÉS
CES PROPOS RUSTIQUES

Alors que je m'étais retiré à la campagne pour y mener à bien plus commodément et aisément certaine affaire, je me promenais un jour de fête dans les villages voisins, cherchant compagnie. J'y trouvai – comme à l'accoutumée – la plupart des vieux et des jeunes, séparés toutefois parce que, selon le proverbe ancien, chacun cherche son semblable. Les jeunes s'exerçaient à l'arc, à la lutte, aux barres et à d'autres jeux. Ils s'offraient en spectacle aux vieux, qui, couchés sous un large chêne, les jambes croisées et leur chapeau un peu baissé sur les yeux, évaluaient les coups. Tout en rafraîchissant le souvenir de leurs jeunes ans, ils prenaient un singulier plaisir à voir folâtrer cette inconstante jeunesse.

Ces bonnes gens se tenaient dans le même ordre que les magistrats d'un état gouverné suivant les règles de bonne politique, puisque les plus anciens – et connus pour être de plus sain et meilleur conseil – occupaient les places les plus élevées, et les plus jeunes celles du milieu : leur renommée de sages ou de bons laboureurs n'était pas aussi grande.

Voyant cela, je m'approchai pour être, avec les autres, plus attentif à leurs propos qui me semblaient de grand agrément. Ils ne contenaient en effet ni fard, ni couleur de bien dire, mais la pure vérité ; et ce tout d'abord dans la confrontation de leurs époques, le changement des temps et quelquefois le regret des bonnes années où – disaient-ils – ils buvaient et faisaient plus grande chère qu'aujourd'hui.

Voulant alors savoir les noms de ces braves gens, je tire par la manche quelqu'un de ma connaissance, à qui familièrement je demandai leur nom :

« Celui que vous voyez accoudé, me répondit-il, tenant à la main un petit bâton de coudrier dont il frappe ses bottes attachées avec des courroies blanches, s'appelle Anselme, l'un des riches de ce village, bon laboureur et assez instruit pour la campagne.

« Celui que vous voyez à côté, le pouce passé dans la ceinture à laquelle pend cette grande gibecière où se trouvent des lunettes et deux vieux livres de messe, s'appelle Pasquier : c'est l'un des plus joyeux lurons qui soient à une journée de cheval d'ici : et quand je dirais deux, je crois que je ne mentirais pas; toutefois, c'est bien celui de toute la bande qui a le plus tôt la main à la bourse pour donner du vin aux bons compagnons.

— Et celui qui tient ce vieux livre avec ce grand bonnet enfoncé sur la tête? demandai-je.

— Celui, reprit-il, qui se gratte le bout du nez?

— Celui-là précisément, dis-je alors, et qui s'est tourné vers nous.

— Ma foi, répondit-il, c'est un Roger Bontemps [1], qui tenait l'école il y a plus de cinquante ans en cette paroisse. Mais, abandonnant son premier métier, il est devenu bon vigneron : aux fêtes, il ne peut néanmoins s'empêcher de nous apporter de ses vieux livres et de nous en lire tant que bon nous semble; un *Kalendrier des bergers* [2], par exemple, les *Fables* d'Esope, le *Roman de la Rose*. Il ne peut non plus s'empêcher les dimanches de chanter au lutrin en fredonnant à l'ancienne mode : il s'appelle maître Huguet.

« L'autre, assis près de lui, qui regarde sur son livre par-dessus son épaule et qui a une ceinture avec une boucle jaune, est un gros riche pataud de village, assez bon paysan; il fait aussi bonne chère chez lui... que n'importe quel petit vieux du coin! Il se nomme Lubin.

« Si vous voulez vous asseoir un peu avec nous

autres, vous entendrez leurs propos et vous y prendrez peut-être plaisir. »

C'est ce que je fis. Pendant deux ou trois fêtes consécutives, je les entendis jaser et deviser familièrement de leurs affaires rustiques. A mes heures de loisir, et en plusieurs traites, j'en ai fait un bref discours. Je n'y ai pas eu moins de peine qu'à une bonne besogne, car, après avoir ahané longtemps, suant et cherchant ce que je devais dire, j'étais contraint de boire deux ou trois coups (délicieuse obligation!) pour me rendre la cervelle plus vive et alerte. J'en éprouvai autant de peine que le charretier qui, pour aider ses chevaux attelés à la charrette trop chargée, met son chapeau entre son épaule et la roue afin de les soulager quelque peu, et boit parfois à son tonnelet attaché au collier du cheval de tête.

II

DE LA DIVERSITÉ DES TEMPS

Anselme, cet homme avisé mentionné ci-dessus, était d'une honnête culture, lettré et assez philosophe. Il commença avec une étonnante admiration à évoquer le temps passé – bien différent du nôtre – que ses contemporains et lui-même avaient connu :

« Je ne puis, dit-il, mes vieux compères et amis, m'empêcher de regretter nos vertes années, ou du moins la façon de faire de l'époque; elle était très différente et ne ressemblait en rien à celle de maintenant. Vous voyez en effet toutes les bonnes coutumes s'affaiblir et se changer en je ne sais quelles nouveautés qu'on juge extraordinairement louables et sans lesquelles un homme d'aujourd'hui est méprisé.

« O temps heureux! ô siècles fortunés! où nous avons vu les pères de famille qui nous précédaient – que Dieu les absolve – (en disant cela, il soulevait le bord de son chapeau) se contenter pour leur habillement lors des fêtes d'une bonne robe de bure garnie à la mode du temps, et d'une autre pour les jours de labeur, en bonne toile doublée de quelque vieille chemise. Ils faisaient vivre leur famille dans la liberté et une louable tranquillité, sans se soucier beaucoup des affaires des autres, mais seulement du prix du blé à Lohéac [1], de celui des fléaux au Liège [2].

« Le soir, sous les rayons de la lune, ils bavardaient sans retenue de quelque bagatelle, riant à pleine gorge, causant des nids d'antan et des neiges de l'an passé. Au retour des champs, chacun avait sa bonne blague pour égayer l'autre et raconter les contes inventés durant la journée. Chacun était content de son sort et du métier dont il pouvait honnêtement vivre, sans en désirer d'autre, à moins de s'en sentir capable : par exemple, notaire de la cour de Bobita [3] ou d'autres, gaudayeur, priseur ou témoin synodal.

« Dieu, alors, était aimé, révéré; la vieillesse était honorée et la jeunesse sage pour la raison qu'elle avait de la vertu. A cette époque-là, cette dernière était si florissante que je peux – avec vous – appeler ces temps passés temps de Dieu. Où est le temps, ô compères, où il était rare que passât une simple fête sans que quelqu'un du village ne s'avisât d'inviter tous les autres à déjeuner, à manger sa poule, son oison, son jambon ?

« Mais comment le fera-t-il aujourd'hui, quand

on ne permet quasiment pas aux poules et aux oisons de parvenir à maturité, pour les porter à vendre afin d'en bailler l'argent à monsieur l'avocat ou au médecin, personnages presque inconnus à cette époque? Et cela, à l'un pour maltraiter son voisin, le déshériter, le faire mettre en prison; à l'autre, pour être guéri d'une fièvre, se faire ordonner une saignée – que, Dieu merci! je n'ai jamais essayée – ou un clystère. De tout cela, feue de bonne mémoire Tiphaine La Bloye guérissait sans tant de barbouilleries, et quasi pour un *Pater noster.*

– Sur mon Dieu, mon compère, dit alors Pasquier, vous dites tout à fait vrai; il me semble exactement être dans un nouveau monde. Puisqu'il nous reste du temps et du jour, je vous prie, avec le reste de la compagnie, de poursuivre le propos entamé.

– Ma foi, répondit Anselme, il est vrai que j'ai fait l'ouverture et donné le commencement, mais je confie la charge de continuer à mon compère, maître Huguet que voilà, s'il veut, bien sûr, en prendre la peine.

– C'est une bonne idée, reprit alors Lubin. Que chacun dise ce qu'il en a entendu raconter. Or, comme notre compère maître Huguet a beaucoup roulé sa bosse et qu'il sait approfondir un sujet, il en dira, s'il lui plaît, ce qu'il en pense. »

Maître Huguet ne se pressait point. Dix ou douze hommes se levèrent et le prièrent de leur dire comment on faisait les banquets de son temps, et comment on vivait – sans négliger d'aborder quelques points d'agriculture. Maître Huguet y consentit volontiers; après avoir bu un coup du vin qu'ils avaient envoyé quérir, et arrangé son chapeau qui lui tombait sur les yeux, il prit la parole.

III

BANQUET RUSTIQUE

« Comme, par pure bonté, vous m'avez confié la charge de raconter et d'apprécier ce que j'ai vu et entendu, je ne la refuserai pas, ô mes bons amis; j'en parlerai peut-être confusément, mais au moins avec sincérité. Puisque les banquets et les festins de nos prédécesseurs s'offrent à nous, ils étaient – soyez-en persuadés – aussi bons d'esprit que bien ordonnés, sans que je veuille mesurer l'importance d'un banquet à la variété et la magnifique recherche des aliments, ce que ne connaissaient pas ces bonnes gens; car le poivre, le safran, le gingembre, la cannelle, les myrobolants [1] à la corinthienne, la muscade, les clous de girofle et autres fantaisies importées des villes en nos villages leur étaient inconnus. Loin de nourrir le corps de l'homme, celles-ci le corrompent plutôt et l'anéantissent tout à fait; sans elles cependant, un banquet d'aujourd'hui est sans goût et manque d'éclat, selon le jugement trop lourd de l'ignare et sot peuple. »

Maître Huguet voulait poursuivre quand Lubin lui demanda de cesser de critiquer les actuelles façons de faire : tout était pour le mieux, et il ne fallait pas oublier que, dans le passé, on avait parfois commis des erreurs.

« Puisqu'il vous plaît, répondit maître Huguet, que j'aille au but, je dirai ce que j'ai vu faire il y a plus de cinquante ans dans ce village. Je reprendrai les propos tenus par le compère Anselme : les jours chômés, nos bons pères fussent plutôt morts que de ne pas rassembler tous leurs rogatons chez quelqu'un du village pour s'y récréer et prendre le repos du labeur de la semaine. Avez-vous jamais vu dans les villes, quand vous allez y porter quelque fromage à votre maître ou autre, qu'un bourgeois ou un citadin allant dîner chez son voisin envoie son valet en avant, avec une partie de son dîner ? Voilà pourtant ce qu'ils faisaient !

« Après avoir bu également et de toutes leurs forces, le tout méthodiquement, ils commençaient à bavarder des champs sans retenue. Messire Jean, le feu curé de notre paroisse, jasait à qui mieux mieux, installé au haut bout de la table – à tout seigneur, tout honneur, en effet. Les bords de sa robe relevés, conservant un peu de gravité, il interprétait l'Évangile du jour, donnait sur ce sujet quelque bonne leçon ou conférait avec la matrone la plus âgée, assise près

50

de lui, son chaperon retroussé; ils parlaient volontiers de certaines herbes pour la fièvre, la colique ou la matrice.

« Le bonhomme de curé, qui parfois montait sur ses grands chevaux en toute bonne foi, se vantait de beaux travaux (il était écouté très volontiers) : Dieu merci! il ne craignait personne dans les deux paroisses voisines – il le disait sans blâmer personne! – soit pour chanter le contre-point, soit pour faire rudement bien un prône; le latin? Bien qu'il y fût un peu rouillé, il s'y entendait tout autant, sinon plus que... n'importe quel petit compagnon du coin! Il s'en référait à ceux qui le connaissaient, sans s'avancer plus avant. Même chose pour ce qui était d'empenner joliment une flèche! mettre une corde à une arbalète! bien fabriquer un rebec! Il en avait fait plusieurs fois pour le meunier de Vangon! [2] Dans toutes ces activités, pas un homme à craindre, sauf s'il avait deux têtes! La pauvre femme le lui accordait, plongée dans une extraordinaire admiration...

– Était-ce ce joyeux curé, fit alors Pasquier, qui, reprenant les enfants de la paroisse pour quelques insolences, durant le prône de sa grand-messe, disait que s'il était leur père, il les châtierait d'importance?

– Lui-même et pas un autre, répondit maître Huguet.

« Mais, pour en finir avec l'ordonnancement de notre banquet, au bas bout se tenait quelque Roger Bontemps comme mon compère Lubin que voilà; il racontait les veillées et les fileries qui avaient eu lieu dans la semaine et où lui-même était allé triompher et faire... je ne sais quoi de plus qu'il laissait imaginer à la compagnie. Il parlait aussi de son poulain noir qui lui avait échappé près de la vigne et qui avait couru jusqu'aux landes de Liboart. En allant à sa recherche, il était tombé sur Marion la petite, ou la petite Marion – peu lui importait – dont il avait, sans penser à mal, ramassé le fuseau [3] et qu'il avait embrassée par conséquent; il lui avait en outre fait offre de sa personne et n'eût voulu pour rien au monde, disait-il, ne point l'avoir rencontrée, même si le jeudi suivant il devait aller à la Seguimère, où elle se trouverait; là, il pensait – à moins qu'il ne fût bien abusé – conclure l'affaire, dût-il lui en coûter quelque petit cadeau.

« Le reste des bons lourdauds parlait du décours de la lune, de l'époque à laquelle il serait bon de planter les poireaux, du temps convenable pour houer la vigne, pour greffer ou couper le coudrier et le châtaignier, pour fabriquer les cercles à lier les tonneaux.

– Allons, fit alors Pasquier, nous savons à peu près ce qu'ils pouvaient dire. Continuez, je vous prie, à décrire la fin de ce banquet, et comment ils se comportaient après s'être rués si allégrement sur la cuisine.

– Après dîner, répondit maître Huguet, quelqu'un du village, Pestel diriez-vous par exemple, sortait de dessous son vêtement un rebec ou une flûte; il y soufflait avec une grande maîtrise et le doux son de son instrument, accompagné d'un hautbois qui se trouvait là pour le seconder, les y invitait si bien qu'ils étaient contraints, bon gré, mal gré, après avoir jeté leurs robes et leurs casaques, de commencer une danse. Les vieux, pour montrer l'exemple aux jeunes et ne pas se montrer fâcheux, s'y essayaient et faisaient deux ou trois tours de danse, sans beaucoup frétiller des pieds ni faire de grandes gambades comme nous pourrions le faire, nous autres.

« La jeunesse alors accomplissait son devoir : frapper du pied et mener le grand galop, mis à part messire Jean qu'il fallait un peu prier : " Monsieur, ne vous plaît-il pas de danser ? " devait-on lui dire. Après avoir un peu refusé pour suivre la règle du jeu, il s'y mettait pourtant et il n'y en avait que pour lui; car frais, et peut-être amoureux, il faisait tant tourner ses commères qu'elles sentaient leur épaule de mouton à plein nez *. Et ce vénérable curé disait alors : " Allons,

* Sentir très fort des aisselles.

allons, jamais plus nous ne nous ébattrons jeunes; prenons le moment comme il vient, maudit soit celui qui se ménagera! »

« Lorsque la fumée du vin commençait à emburelucoquer les parties du cerveau, quelque bonne luronne menait la ronde par-dessus les tables, bancs et coffres, autant d'une main que de l'autre. Au reste, chacun le faisait comme il voyait avoir à le faire.

– Comment! dit alors Anselme, les vieillards se conduisaient comme les autres?

– Nenni, répondit maître Huguet. Au contraire ces bonnes gens étaient près du feu et se chauffaient d'un fagot de sarments de vigne, le dos à la flamme, regardant et évaluant les coups : " Celui-ci danse bien, disaient-ils; le père d'un tel était le meilleur danseur du pays; un tel avait défié, les jours précédents, tous ceux de Vindelles [4] à danser. "

« La danse finie, ils recommençaient de plus belle à trinquer et à lever haut et franc le verre sans se battre. Puis, après s'être échauffés, ils allaient, si bon leur semblait, voir quelque pré ou champ bien préparé et là, ils s'asseyaient d'ordinaire pêle-mêle, si ce n'est – car il ne faut pas mentir – que les anciens avaient (à juste raison) les places les plus honorables. Alors, l'un des plus âgés, à la demande de ses contemporains, commençait à haranguer les jeunes gens et en obtenait autant d'attention que celui qui, venu de quelque pays étranger, veut conter quelque fait inouï.

— Je vous en prie, dit Pasquier, si le reste de la compagnie est d'accord, traitez les principaux points de cette harangue, car je suis sûr que ce qu'ils disaient était bon. »

Maître Huguet voulait se dérober : il avait parlé à bâtons rompus de ce qu'il avait pu, et il fallait qu'un autre traitât le fond; mais d'importunes requêtes le contraignirent d'achever.

« Puisqu'il faut le faire, et qu'il n'y a pas moyen ni remède pour y échapper, je vous dirai à peu près la teneur de la harangue que le plus ancien et le plus savant, comme je l'ai indiqué, commençait en ces termes :

IV

HARANGUE RUSTIQUE

« Mes enfants, puisque le Seigneur Dieu vous a appelés à cette profession favorisée du Ciel, l'agriculture, l'équité et la raison veulent que vous soyez diligents et prompts à l'exercer : agissez vertueusement et comportez-vous de façon bonne et louable. Vous en avez le modèle, grâce à Dieu, chez vos pères et mères ici présents. Une sorte de bon sens que je vois apparaître en vous fera le reste : des signes évidents montrent que vous serez à l'avenir des gens de bien.

« Je puis assurément affirmer avec toute la compagnie que depuis cinquante ans – quand je dirais soixante, je ne croirais pas mentir – notre village ne fut jamais aussi fertile que de nos jours en jeunes gens pourvus de toutes les qualités, si vous considérez les bonnes mœurs et les grâces dont ils sont ornés ou la taille et la complexion physique, la puissance et la vigueur de leurs membres, sans compter l'adresse, la promptitude et la légèreté.

« Le bon Dieu nous a par là, comme en toutes choses, merveilleusement comblés. Toutefois, mes enfants, jeunesse – j'en ai fait l'expérience – est si folle et si aveuglée qu'elle ne regarde que les choses présentes et ce qui est à ses pieds, sans lever les yeux ou le nez plus haut; cela gâte et abâtardit les plus nobles esprits. Aussi, le bon espoir des pères est-il frustré et anéanti, ce qui aggrave extraordinairement le démérite des enfants.

« Si vous réclamez une confirmation par des exemples, je vous cite deux de vos compagnons, que, sur mon Dieu, je ne nommerais pas si cela n'était tout à fait connu, Guillemin Plumail et Geoffroy Thibie; tous deux étaient aussi gentils garçons et aussi bien éduqués en leurs jeunes années qu'on peut le souhaiter. Mais, bon Dieu, depuis qu'ils ont commencé à hanter les tavernes, les bordels, fléaux de tout bon naturel, et autres lieux de débauche semblables qui écartent tout à fait le cœur des jeunes gens de la vertu, qu'ont-ils fait? Que sont-ils? Ce sont des brigands, des voleurs, des gardeurs de chemin en tout et pour tout! Gibier sur mesure pour le bourreau parce qu'ils ont donné une issue malheureuse à leurs nobles et vertueux débuts.

« Voyant cela, la mère de l'un (comme chacun sait) l'a fait arrêter et, pour ainsi dire, emprisonner. Reconnaissant enfin ses défaillances (contraint aussi de le faire), il est devenu homme de bien, bon preneur de taupes et gentil faiseur de quenouilles; il vit modestement, à la manière de notre classe. L'autre, qui est obstiné, demande l'aumône à l'orée d'un bois, en attendant l'occasion.

« C'est pourquoi, mes enfants, pour échapper à toutes ces malheureuses erreurs auxquelles nous sommes plus continuellement conduits qu'à bien faire, il est nécessaire en premier lieu d'aimer, de révérer et de craindre Dieu : il est celui qui accepte que nous tombions dans mille adversités, pour nous montrer qu'il est le maître, et celui qui a procréé toutes les choses pour notre profit et notre bien. S'il vous a donné des parents riches, accordé ses bienfaits en partage, il ne faut pas présumer que cela vient de vous et ainsi cultiver une opinion fausse dont souvent la jeunesse s'abuse et en conséquence s'enorgueillit; il faut au contraire être conscient qu'en moins d'un clin d'œil, il peut vous ôter bœufs et chevaux, et tout votre bien. De tout cela, il faut que vous lui rendiez grâce et que vous compreniez qu'il fait tout pour le mieux; il sait bien en effet ce qui vous est nécessaire.

« Vous devez connaître certaines règles de votre métier et du mien qui sont importantes à observer : gardez-vous surtout de mal parler de vos voisins ou en quelque occasion de fouler aux pieds leur honneur. Vous vous trouvez parfois ensemble et vous discutez de l'excellence de vos terres ou de vos travaux; vous parlez de vos faux, faucilles, cognées et outils semblables, que vous préférez les uns aux autres : gardez-vous entre autres choses de ce qu'en louant les vôtres, les leurs ne soient dépréciés. Il faut en effet tout trouver bon, en raison du dicton : " Pour chaque oiseau, son nid est beau. " On en voit en outre encourir, à cause de leur langue, des maux nombreux et divers; cela – que Dieu m'aide! –, je ne le vois pas se produire chez vous, non plus que d'autres imperfections dont sont d'ordinaire entachés les jeunes gens.

« J'oubliais un conseil : n'attachez pas grande importance aux choses où il n'y a point de remède et encore moins de conseil; n'en concevez pas une grande colère (des accidents et des maladies frappent par exemple très souvent vos bœufs, vaches et brebis, poules et porcs, qui meurent rapidement, malgré vos soins); dans la bonne et dans la mauvaise fortune, il faut avoir le même visage et la constance habituelle.

« Pour ma part, la plus grande raison et l'argument le plus évident que je puisse donner pour expliquer que mes ans ont été si longuement prolongés – je le dis sans me vanter – c'est que (et je ne connais pas d'autre motif), quelle que soit l'adversité qui me soit advenue dans la journée, elle ne s'est jamais couchée avec moi. Si vous agissez ainsi, vous vivrez heureux, favorisés du sort, dans une honorable tranquillité, et personne ne vous égalera en félicité.

« Demandez-vous en effet une vie plus saine et plus libre que la nôtre, à condition que nous nous gardions de viser trop haut? Si nous sommes diligents à labourer les terres que nous ont laissées nos bons pères, ce sera déjà beaucoup, sans tâcher de les étendre par de grands héritages. Nos anciens éprouvaient un grand respect pour cette règle, si bien qu'il ne leur était pas permis d'occuper plus de terre que ce qui leur avait été imparti. Ils observaient ainsi beaucoup de coutumes qui n'existent plus aujourd'hui : ils disaient, par manière de proverbe, qu' " un mauvais laboureur est celui qui achète ce que son champ peut lui fournir ", qu' " est mauvais père de famille celui qui fait le jour ce qu'il aurait pu faire la nuit, à moins certes, qu'il en ait été empêché par le mauvais temps "; " plus mauvais encore, estimaient-ils, celui qui travaille plutôt à la maison qu'aux champs, car il dédaigne la coutume ".

« Il me semble avoir entendu parler d'un vieux laboureur accusé par ses voisins; ils prétendaient qu'il avait empoisonné leurs blés parce que le sien était demeuré intact et que les leurs étaient gâtés et improductifs. Cet homme avisé, sachant qu'un tel crime lui était imputé à tort, amena en plein tribunal sa fille, d'une force incroyable, ses bœufs gras et restaurés, son roc rondement aiguisé, son coutre très bien effilé, en disant que son poison et sa magie noire, c'était de bien arranger les blés. Or, jugez maintenant si un tel moyen n'était pas favorable pour bien vite gagner son procès!

« Pour y revenir, ne tenez-vous pour rien qu'au matin, frottant vos couilles, étirant vos bras nerveux et musculeux (après avoir entendu votre horloge, c'est-à-dire votre coq, plus sûre que celle des villes), vous vous leviez sans vous plaindre de l'estomac ou de la tête comme le ferait je ne sais qui s'étant enivré la veille au soir? Après avoir lié vos bœufs au joug – ils y sont si habitués qu'ils s'y présentent d'eux-mêmes – vous allez aux champs, en chantant à pleine gorge, donnant de l'exercice à une poitrine saine, sans crainte d'éveiller Monsieur ou Madame. Là, mille oiseaux vous offrent un passe-temps; les uns chantent sur la haie, les autres suivent votre charrue, en vous témoignant une très grande familiarité pour se repaître des vermisseaux qui sortent de la terre retournée. D'autres, qui volent çà et là, révèlent la présence du renard, dont le plus souvent vous aurez la peau en tendant un collet en fil d'archal.

« Ils vous offrent certains présages avec d'autres pronostics que vous avez appris de la nature et de la coutume commune :

— le héron triste et immobile au bord de l'eau indique l'approche de l'hiver;

— l'hirondelle qui vole près de l'eau annonce la pluie; celle qui vole en l'air, le beau temps;

— le geai qui se retire plus tôt que d'habitude sent l'hiver qui approche;

— les grues qui volent haut sentent le beau temps et le serein;

— le pivert chante à coup sûr avant la pluie;

— la chouette chantant durant la pluie, annonce le temps beau et clair;

— quand les poules ne se retirent pas sous le couvert à cause de la pluie, celle-ci continuera assurément;

— les oies et les canes qui se plongent dans l'eau continuellement sentent la pluie proche; même signification pour la grenouille qui chante plus qu'à l'accoutumée; ou quand ces vieilles murailles rendent de l'eau;

— la sérénité de l'automne annonce des vents en hiver;

— le tonnerre du matin signifie vent; celui de midi, pluie;

— les brebis qui courent çà et là sentent l'hiver approcher.

« D'autres fois, pour laisser ce sujet que vous connaissez beaucoup mieux que moi, l'épieu sur l'épaule et la serpe bravement passée à la ceinture, vous vous promenez autour de vos champs pour voir si les chevaux, les vaches ou les porcs n'y sont pas entrés, afin de refermer immédiatement avec des ronces le nouveau passage; là, vous cueillez des pommes ou des poires à votre aise, goûtant de l'une puis de l'autre; le reste que vous dédaignez de manger, vous le portez à la ville pour le vendre; avec l'argent, vous achetez quelque beau bonnet rouge ou un couteau de bonne facture.

« D'autres fois, le matin, voyant d'où vient le vent, vous allez voir les pièges que vous avez tendus le soir pour les renards qui vous dérobent des poules ou des oies, et parfois – la méchante bête! – de tendres agnelets.

« Vous ne vous souciez pas beaucoup du mauvais temps, des fièvres d'automne ou des jours caniculaires, et, à ces époques dangereuses pour les autres, vous avez la tête nue dans les champs quand, par exemple, vous liez une gerbe de blé ou refaites un fossé. Vous êtes ainsi moitié plus forts, robustes et allègres que les gens de villes qui n'aiment que les mignardises sous l'ombrage et ne sentent en rien leur homme. Voilà pourquoi un bon capitaine aime un soldat élevé en ses jeunes ans à la campagne; cela, je l'ai vu lorsqu'il était question d'aller à Pharingues [1].

« Si vous attrapez quelque maladie, comme

c'est bien naturel, vous ne recherchez ni clystères, ni purges, ni saignées, ni de semblables fantaisies. Le remède se trouve dans votre jardin : de bonnes herbes dont la vertu vous reste quasi par héritage, de père en fils.

« Que vous dirai-je de plus, mes enfants ? Je ne pense pas qu'il manque rien à votre complète félicité, excepté l'amour du Seigneur. Vous l'acquerrez, je crois, par des actions vertueuses, issues des sages et fructueux enseignements que votre curé vous donne de bonne grâce, autant que par obligation de conscience. Aussi le prierai-je, lui qui préserve vos troupeaux, de nous accorder la grâce de ne point nous fourvoyer hors du chemin qui nous a été indiqué, à nous autres, pauvres voyageurs.

« Je me recommande à vos bonnes grâces en vous priant de tout prendre de très bon gré parce que je suis votre ami et que cela vient d'un vieillard distrait. »

Maître Huguet voulait poursuivre et raconter la fin du repas; mais Pasquier lui coupa la parole en disant à Anselme que le banquet était très bien décrit et qu'il était plein d'éclat.

« Certes, fit Anselme. Nous ne savons toutefois pas encore comment ils se séparent, ni comment le reste du jour s'emploie.

– Vous m'avez, dit maître Huguet, rogné la

queue de mon discours alors que je voulais l'achever; maintenant, écoutez bien.

« La harangue finie, ils retournaient tous au logis, dispos et décidés; là ils recommençaient à boire chopines de même et de plus belle; lorsqu'ils étaient à point et qu'ils en avaient tout le long des bretelles, ils commençaient à chanter sur le ton le plus haut qu'on entendît jamais : " Au bois de deuil... ", " Qui la dira... ", " Consolez-moi, douce et plaisante brunette... ", " Le petit cœur... ", " Hélas! mon père m'a mariée... ", " Quand les Anglais descendirent... ", " Le rossignol du bois joli... ", " Sur le pont d'Avignon... " et beaucoup d'autres chansons semblables de bonne musique et de la meilleure grâce.

« Cela fait, ils recommençaient sans interruption, sans repos, à trinquer, si bien que tout le monde était saoul. L'un d'eux, après que chacun avait pris congé, conviait toute la bande le dimanche suivant à un semblable banquet et de pareilles cérémonies. Il pensait leur faire joyeuse chère, s'il ne lui en coûtait pas plus que... je ne sais quoi. Une fois qu'ils étaient retournés à la maison, le bon père de famille demandait avec diligence – s'il s'en souvenait! – comment ses bœufs, vaches, brebis et porcs avaient été pansés, et comment toute la maisonnée se portait.

« Au reste, après avoir ôté sa robe et en commençant déjà à se déshabiller, il distribuait

66

les tâches du jour suivant, selon son bon plaisir. A ce moment, le bonhomme s'endormait volontiers sur ses genoux. Si le chat se trouvait là, il donnait deux coups de patte à ses triquedondaines qui pendaient (en ce temps-là, ils ne portaient pas de hauts-de-chausses, mais bien des braies [2]; les siennes toutefois, étaient à la lessive ou à sécher... je ne sais). Après que la bonne femme avait chassé la maudite bête et couvert le feu, elle envoyait au lit son brave homme; mais il donnait auparavant l'ordre que tout soit prêt le lendemain pour labourer à la charrue dans le clos, devant : si le soc n'était pas bien appointé, il fallait dès le matin le porter au Plessis [3], à la forge, chez Guyon Jarril; si celui-ci n'était pas chez lui, qu'on le portât à Chantepie car là, il y avait un très bon maréchal.

— Par mon âme, fit alors Lubin, le conte nous est si bien mis devant les yeux, compère, qu'il me semble tout à fait y être et voir le bonhomme Robin Chevet se divertissant à jaser et envoyer quelqu'un à la forge.

— Il était très répandu, dit Anselme; et il me semble l'avoir vu autrefois.

— Oui sûrement, si vous l'avez voulu, reprit maître Huguet; il vivait à l'époque dont je vous ai parlé.

— Puisque le compère Lubin a amené la conversation sur ce bon lourdaud de Robin Chevet, ajouta Pasquier, il sera tout à fait intéressant — me semble-t-il — qu'il dise ce qu'il a vu faire, car ils ont habité dans le même village.

— Puisque la compagnie, dit Lubin, m'ordonne à mon tour de parler de Robin Chevet, j'en dirai ce que je sais; mais chacun en parlera aussi, afin que la peine soit égale. »

Cela lui fut accordé. Lubin alors commença :

V

ROBIN CHEVET

« Robin Chevet était un homme très avisé, ma foi ! comme il le proclamait lui-même ; et il était, de tout son coin, celui qui faisait le mieux un sillon. Il inventa, le vaillant homme, mille beaux mots concernant la manière de cultiver les champs, attribuant en toute bonne foi, et sans penser à mal, un sens à beaucoup d'entre eux. Après le dîner, le ventre tendu comme un tambourin, repu comme Pataud, il jasait volontiers, le dos tourné vers le feu, en écorçant du chanvre avec beaucoup de soin ou en arrangeant ses bottes selon la mode en cours (d'ordinaire, l'homme de bien s'habillait au mieux) ; il chantait de façon très mélodieuse – et selon les règles du savoir-vivre – quelque chanson nouvelle ; Jouanne, sa femme, qui filait de l'autre côté, lui répondait de même.

« Le reste de la famille œuvrait, chacun à sa tâche : les uns réparaient les courroies de leurs fléaux, les autres fabriquaient des dents de râteaux, brûlaient des cordes pour lier, par exemple, l'essieu de la charrette brisé par un trop grand fardeau, ou bien fabriquaient une verge de fouet en néflier (ou néplier).

« Alors qu'ils étaient occupés à diverses besognes, le bonhomme Robin, après avoir imposé le silence, commençait un beau conte du temps où les bêtes parlaient – il n'y a pas deux heures – : comment le renard dérobait le poisson aux poissonniers; comment il fit battre le loup par les lavandières lorsqu'il lui apprenait à pêcher; comment le chien et le chat s'en allaient bien loin; il contait l'histoire de la corneille qui, en chantant, perdit son fromage; celle de Mélusine; celle du Loup-Garou; celle de Cuir-d'Anette; celle des fées : il leur parlait souvent avec familiarité – prétendait-il –, surtout lorsqu'il passait à la brune par le chemin creux et qu'il les voyait danser le branle près de la fontaine du Cormier, au son d'une belle cornemuse couverte de cuir rouge; du moins lui semblait-il, car il avait la vue courte : depuis que Guévichot l'avait jeté à terre à coups de houe sur les fesses, les yeux lui avaient toujours pleuré; mais – que voulez-vous? – nous ne séparons pas les fortunes.

« Il poursuivait, disant que lorsqu'il labourait à la charrue, elles venaient le voir; elles étaient bonnes commères et il leur eût volontiers dit quelque petite blague, s'il avait osé et n'avait craint qu'elles ne lui jouent un bon tour. Il racontait aussi qu'il les épia un jour, alors qu'elles se retiraient dans leur caverne : dès qu'elles approchèrent d'une petite motte, elles s'évanouirent, et il se retira de là, disait-il, gros Jean comme devant. En disant cela, croyez-le bien, il ne riait pas du tout; et il trompait bien son monde.

« Si l'un ou l'une s'était par hasard endormi, comme cela arrive, pendant qu'il faisait ces beaux contes, dont maintes fois j'ai été l'auditeur, maître Robin prenait un fétu de chanvre allumé par un bout et soufflait par l'autre au nez du dormeur, en faisant signe de la main qu'on ne l'éveillât pas. Il s'exclamait alors : " Vertu bleu! j'ai eu tant de mal à les apprendre, je me romps la tête en croyant faire du bon travail, et ils ne daignent même pas m'écouter! " S'ils ne riaient pas, le brave homme faisait un pet en trois parties, qui les réjouissait tous, et ils riaient désormais de tout leur cœur.

« Le bonhomme, las de conter, parce qu'il s'oubliait le plus souvent dans les contes, demandait à Jouanne, sa femme, un petit coup, disant qu'il le lui revaudrait et qu'il l'avait bien gagné; tout le monde en était témoin, et elle la première.

– N'était-elle pas, si vos souvenirs sont bons,

la fille de Colin Garguille [1], ce bon compagnon? dit maître Huguet.

— De celui-ci et pas d'un autre, répondit Lubin; c'était votre cousine remuée d'une bûche [2], et ce par-dessous la couverture.

— Pour y revenir, la bonne femme, un pot à la main, commençait à y aller comme sous la contrainte, en disant qu'il avait toujours soif, comme le Juif errant avait toujours cinq sols : il avait, croyait-elle fermement, un charbon dans le ventre! Assurément, elle n'y retournerait pas une autre fois! Il crèverait plutôt de soif avant qu'elle daigne faire un pas!

— Je voudrais bien, dit alors Pasquier, que la femme de chez nous m'eût tant cherché querelle, je crois que Martin-bâton trotterait.

— Vous dites vrai, répondit Lubin; si, à chaque injure que me dit ma femme, je lui donnais un coup de bâton, il y a dix-neuf ans qu'il n'y aurait plus de nouvelles d'elle!

« Mais écoutez! C'était toujours son habitude, lui disait-elle, de la charger d'aller lui chercher à boire; ne pourrait-il pas envoyer quelqu'un d'autre? Il voyait bien qu'elle était très occupée à dévider du fil emmêlé! Elle voudrait bien qu'il fût le gage de ce dont elle avait besoin!

« Robin, qui ne voulait pas la contrarier, disait qu'il lui en importait peu, pourvu qu'il bût! Il s'efforçait de lui complaire; il lui demandait peu

72

à boire! C'était une fois entre cent! Une fois n'était pas coutume! En outre, si elle voulait toujours tancer les gens, il aimerait mieux aller boire à la rivière! Il la priait les mains jointes de ne pas le lui faire payer si cher, sinon, à la vérité, il s'en irait le lendemain chez la meunière qui tenait taverne à Noyal[3]; il y mènerait dom Armel Augier, et ils y boiraient tout leur saoul; il aimerait mieux être... je ne sais où.

« Sur quoi, elle lui répondait qu'elle ne s'en souciait guère et que c'était bel et bien son habitude! Du moins le priait-elle de ne pas la battre une fois ivre, comme il était accoutumé à le faire! Elle s'étonnait qu'il n'en eût pas honte! " Ha, par ma vie, disait alors Robin, voyant qu'il n'en tirerait rien par la force, j'aimerais mieux être je ne sais où, ma Jouanne! A qui Dieu veut porter secours, sa femme se meurt! Allez, m'amie, allez, que Dieu vous fasse la tête mieux couverte car je vous assure que j'aimerais mieux avoir mangé une charretée de foin!" Pour l'amour de Dieu, ajoutait-il, qu'elle lui donne à boire; qu'elle l'appelle ensuite mendiant! Qu'elle leur paye une pinte : elle boirait la première! La bonne femme, rechignant comme celui à qui l'on panse une bosse chancreuse, ramassait ses petites affaires pour aller tirer du vin; elle protestait car Robin lui disait qu'il fallait tirer de celui qui était près du mur et ne pas hésiter à remplir le pot, parce que Roulet Lambart, venu emprunter une cognée, boirait volontiers.

« A son retour, elle leur baillait le pot, comme par dépit, et ils se ruaient si hâtivement dessus qu'une mouche, semblait-il, n'y eût pas trouvé à boire. Voyant cela, elle lui disait que s'il avait été honnête homme, il lui aurait pour le moins offert à boire, quoiqu'elle n'eût pas accepté! Les honnêtes gens se montrent où ils sont, et par Dieu, elle s'en souviendrait!

« Puis, les deux mains sur les hanches, en pleurs, elle commençait à l'injurier de belle manière. Le pauvre Robin en riait à pleine gorge et disait qu'il connaissait bien le naturel de la demoiselle : c'était une femme en tout et pour tout! Elle avait dû emprunter sa tête car c'était un diable à coiffe; le Diable lui avait fait la tête! Il n'y avait ni rime ni raison dans son affaire! Voir un homme avec une tête de cheval est chose fort étrange, mais voir une femme sans coup de tête l'est davantage encore! La bonne femme ressemblait à un chien qui boite quand il veut : elle, de même, pleurait à point nommé. Vraiment, elle avait un quartier de lune dans la tête!

« Mais, voyant qu'elle commençait à l'emporter par ses discours, et que désormais, il n'y avait plus de raison d'être patient, il ordonnait que tout le monde allât se coucher et prétendait bien

74

faire sa conciliation : par ce moyen, ils étaient au matin plus grands amis qu'avant.

— Saint Quenet [4], s'exclama alors Anselme, voilà une bonne façon de se quereller et de se réconcilier; cependant, je n'en voudrais pas chez nous et je vous prie de n'en pas parler à ma femme : elle se mettrait trop violemment en colère contre moi tous les jours; et puis, vous savez que je ne pourrais si souvent me la concilier sans payer beaucoup de ma personne!

— Sur mon Dieu, ajouta Pasquier, quand tout est dit, de semblables menus plaisirs ne conviennent guère à nous autres, vieillards radoteurs; il ne nous faut plus désormais que le lit moelleux et l'écuelle profonde. Pour ma part, je laisse le métier à ces jeunes gens frais émoulus.

— A la vérité, compère, reprit maître Huguet, vous le pouvez bien et ne devez pas regretter le temps passé car j'ai vu qu'il n'y en avait que pour vous. Rien ne vous résistait; vous étiez le plus grand chien courant de tout le pays et le plus grand abatteur de bois qui fût d'ici au gué de Vède [5]. Ne vous souvient-il pas de ces grands lits où l'on couchait tous ensemble sans difficulté ?

— Ma foi oui, dit Pasquier; je vous en prie, racontez-nous un peu ce que vous en savez, non pas ce qu'on a fait alors, mais la raison pour laquelle on a abandonné cette bonne habitude. »

75

VI

LA DIFFÉRENCE ENTRE
LES MANIÈRES PASSÉES
ET PRÉSENTES
DE SE COUCHER
ET DE SE COMPORTER EN AMOUR

« Du temps, mes amis, où l'on portait des souliers à poulaine [1], où l'on mettait le pot sur la table, où l'on se cachait pour prêter de l'argent, la fidélité jurée aux hommes par les femmes était inviolable; il n'était pas non plus permis aux hommes (sauf de jour ou... de nuit!) de rompre les serments faits à leurs honnêtes femmes; c'était donc une coutume réciproquement observée et qui ne devait pas susciter moins de louanges que d'extraordinaire étonnement. Aussi la jalousie n'était-elle pas en vigueur, sauf celle qui provient d'un excès d'amour et dont les chiens même meurent.

« A la faveur de cette merveilleuse confiance, tous couchaient indifféremment, mariés ou à marier, dans un grand lit fait tout à propos, sans redouter ni craindre quelque penser démesuré ou quelque lourde conséquence. Comme dit l'autre, nature est si coquine qu'il ne faut pas approcher le feu de l'étoupe. Toutefois, depuis que le monde est devenu mauvais garçon, chacun a eu son lit à part (et pour cause!) afin de détourner tous les dangers sans exception qui auraient pu en résulter.

« C'est pourquoi, depuis que les moines, les chantres et les écoliers (alors que dans ce bon vieux temps chacun se contentait de son pays) ont commencé à pérégriner, jeter le froc aux choux, passer de ville en ville, et s'affranchir des limites de leur territoire, on fit d'un commun accord des lits plus petits pour le profit de certains mariés (parce que le pain suit le jeu à la trace *) et pour le plus grand intérêt des femmes, selon les propos de mon voisin Baudet : " Maudit soit le chat s'il trouve le pot découvert et n'y met la patte. Aussi, que celui qui ne connaît pas son métier, ferme sa boutique et aille aux prunes. "

– Sur ma foi, s'écria Pasquier, la mode en était tout à fait bonne mais, puisque tout change, je pensais bien qu'elle ne serait pas la dernière à rester.

– Certes, dit alors Anselme. Vous voyez toutes les bonnes façons de faire se gâter!

– Puisque vous avez parlé de la façon de se coucher, pensez-vous, quant à vous, que les

---

* Cette expression reste obscure. Notons toutefois que le mot « pain » désignait souvent le sexe masculin.

amours de nos anciens aient été aussi agitées que celles de maintenant?

– Vraiment non, répondit Lubin, je le sais bien pour ma part! Quand il fut question de me marier à votre nièce, j'étais âgé de trente-quatre ans ou environ. A cette époque, je ne savais ce qu'être amoureux signifiait; j'aurais encore moins su comment il fallait s'y comporter, si feu ma mère-grand (que Dieu ait son âme!) ne m'avait montré un peu la manière de m'y atteler.

« Regardez si, aujourd'hui, un jeune homme dépassera quinze ans sans avoir eu affaire à ces garces et avoir attrapé par exemple des bosses chancreuses, la vérole ou la chaude-pisse ou bien sans s'être déjà marié? Pour cette raison, les enfants d'aujourd'hui paraissent n'être que des nains au regard des Anciens. Voyons! on blâme le jeune homme de dix-huit ans quand il n'entretient pas les dames, ne compte pas fleurette aux filles, ne fait pas le brave, le mignon! Il faut que malgré lui, il traîne avec cette sotte multitude de jeunes débauchés pour être leur compagnon de malheur, s'il ne veut pas s'entendre traiter de solitaire, mélancolique, original et têtu! »

Maître Huguet prit alors la parole : il avait entendu dire qu'un homme ne peut être galant, décidé et connaître son monde s'il n'a conversé avec les femmes et ne les a fréquentées; autrefois il y avait peu d'hommes qui fussent éveillés et qui

comprissent les points d'honneur et autres hon-
nêtetés d'aujourd'hui.

« Et, ajoutait-il, puisque vous avez parlé de vos
amours, je vous décrirai la façon d'agir de nos
anciens : voilà un bon lourdaud d'alors, habillé
bien joliment et à la mode : une casaque sans
manches par exemple, le beau pourpoint de drap
rouge bordé de vert et coupé au coude, le petit
bonnet rouge, le chapeau dessus, auquel pendait
le bouquet bien mignonnement composé; la
chausse jusqu'aux genoux, et voilà pour la question! Les souliers découverts, la ceinture bigarrée
pendant sur les souliers; le galant ainsi pimpant,
tambourinant des pieds sur un coffre, disait le
mot doux au passage à Jeanne ou Margot.
Soudain, tout en regardant si on ne le voyait
point, il l'empoignait sans dire un mot, la jetait
sur un banc; le reste, je vous le laisse à deviner!

« La besogne bien achevée, il s'ébrouait sans
souci, et en route! Il avait toutefois offert auparavant un beau bouquet à la " donna " : c'était la
plus grande récompense et le plus grand cadeau
amoureux que l'on eût à l'époque. Je ne prétends
pas qu'un ruban n'eût pas été accepté, ou une
ceinture de laine; mais c'eût été à grand-peine
car elle se fût sentie trop obligée.

« Regardez, ô muguets *, qui savez ce que c'est

* Minets, godelureaux.

et qui en faites profession, si par un semblable moyen vous parviendriez à ce but auquel vous tendez. Vous l'appelez le " don de pitié ", le " contentement ", la " récompense du travail ", le " cinquième point d'amour "; certains savants le nomment le " vieux jeu ", l' " ancien métier " et le joli gentil petit " jeu des cymbales ou des castagnettes "... assurément fort peu monacal.

Tout au contraire, dans de longues et excessives protestations d'amour, vous vous désespérez, vous battez la campagne, vous parlez tout seuls comme les fous; vous envoyez des vers, vous donnez des aubades, vous vous promenez le visage masqué, vous proposez de l'eau bénite à l'église; vous faites la cour, vous changez de costume; vous faites de belles dettes chez les marchands, vous entretenez des valets pour vous seconder dans vos desseins; vous suscitez des querelles, vous contrefaites l'audacieux; vous êtes, à ce que l'on dit, hardis parmi les femmes et muguets parmi les gens de guerre.

« Quand parfois vous avez l'occasion de leur parler en privé, vous êtes les plus mauvais qu'on puisse voir; et de dire par exemple : " Hé, ma maîtresse, voulez-vous, pour conquérir votre amour, que je me rompe le cou? C'est un peu fâcheux, mais je combattrai, fût-ce le Grand Turc, qui est un grand propriétaire terrien. Par la vertu de saint Quenet, belle dame, lors de cette dernière guerre – c'était au Luxembourg [2], je crois –, rien qu'au souvenir de vous, je fis un coup de main dont toute la troupe... Je ne dis plus rien. Haa! ma Dame, mon souvenir, mon bon espoir, ma fermeté, mon petit cœur gauche, ma joie! " " Hélas, amour! " " Las! qu'on connût! " " Je sens l'affection... " " Perrette, venez vite... " " De ce brandon... "

« Quoi? Que voulez-vous que je vous offre, dites-vous après, excepté ma personne? Elle se tient si bien à votre service que vous pouvez en disposer comme d'une chose toute vôtre. Soyez-en sûre, si vous me faites la très grande bonté de me recevoir parmi les vôtres et de croire que le nombre de vos serviteurs est accru, vous trouverez en moi, pour mener l'affaire à bien, autant d'obéissance que de courage à votre disposition. » Et au bas de toutes ces belles requêtes et prières, il y a comme signature : " Je ne vous connais point "; cela signifie que vous devez être son serviteur deux ou trois ans et persévérer dans votre folie afin que l'on ait compétence à juger de la fermeté de votre constance et de la fidélité de votre maintien.

« Pendant ce temps, il survient quelqu'un de plus entreprenant que vous; il vous repousse aussi loin que vous étiez près; c'est alors une vraie diablerie à quatre personnages [3] : en dépit de vous, il faut faire la cour à ce nouveau venu pour lui tirer les vers du nez, dissimuler prudemment et tendre de beaux pièges; il faut lui affirmer que vous vous êtes complètement éloigné d'elle : " Trop longtemps vous y avez perdu et votre temps et vos peines; elle ne mérite pas qu'un homme de bien entreprenne quelque action pour elle, vu qu'elle fait à tous un même visage sans récompenser celui qui lui a longtemps fait la cour. "

« Dans toutes ces belles paroles, le cœur ne parle point, car si, quelque jour suivant, elle vous fait une œillade, un sourire de coin, un clin d'œil, ou vous permet seulement de toucher sa robe, de lui ramasser son dé ou son fuseau, vous êtes – croyez-vous – le plus heureux des hommes; mais, après que vous avez détourné d'elle votre regard, elle vous tire la langue, vous fait la moue, se moque de vous avec tout le monde : " Vous êtes un beau jeune homme! de belle taille et de belle venue, bien adroit à une table! Vous avez grâce et bonté, mais vous la portez de travers! " et d'autres mots d'esprit, dont, si vous aviez entendu le moindre, vous seriez allé vous pendre de la honte que vous éprouveriez et du mépris qu'elle a pour vous; après cela, allez vous y frotter!

– Comment, compère! interrompit alors Pasquier, je me demande, après vous avoir bien écouté, à qui vous parlez. Des muguets et des petits maîtres de cette sorte ne seraient pas les bienvenus dans nos villages! D'ailleurs, il ne s'y en trouve aucun. »

Il fallait lui pardonner de s'être fourvoyé, lui répondit maître Huguet; il le savait bien; mais puisqu'il était si avancé dans son histoire, il allait achever.

« Achevez donc, dit Lubin, et expliquez-nous quelle conduite doit suivre le muguet ci-dessus mentionné.

— Je veux, répondit maître Huguet, qu'il laisse de côté ces longues et ennuyeuses harangues qui, à la vérité, n'émeuvent en rien la dame; il aura plus vite conquis ce à quoi il prétend avec un mot bien tourné et de bonne grâce (en y ajoutant un peu de ce que l'on met en la gibecière) qu'en faisant la cour et en jouant longtemps le mignon : c'est l'office d'un jobelin bridé [4]!

« Car, voyez-vous, elles en voient tant de diverses sortes qu'elles les laissent passer avec leurs bravades, et sans difficulté; elles y sont aussi habituées qu'un âne à aller au moulin. Il me semble qu'on peut les comparer à ceux qui ont d'ordinaire affaire aux gens de guerre et qui sont tellement habitués à les entendre jurer, maugréer contre Dieu et faire les mauvais, qu'ils ne daigneraient bouger pour toutes ces mines à moins qu'ils ne frappent à grands coups de bâton ou qu'ils ne mettent leur hôte en travers du feu, comme un fagot.

« On peut en dire autant de nos dames d'aujourd'hui : elles ne prennent pas moins de plaisir à voir un pauvre languissant se donner au Diable et se désespérer, qu'à le voir changer à tous propos de contenance et perdre toute grâce à leur vue; il faut, me semble-t-il, qu'elles tiennent le cœur de leurs amants pris comme dans un filet car, quelle que soit la forme qu'elles voudront lui donner, elles le transformeront et le modifieront comme le ferait un magicien de son image. Mais quand notre amoureux exhibe une bourse bien ornée de clous et bien garnie, les portes fermées lui sont ouvertes bien grandes comme pour laisser entrer une charretée de foin : c'est le remède souverain, la clé de la besogne, la quille du navire, le manche de la charrue.

— A ce que je vois, mon compère, vous en parlez d'expérience, dit Anselme; et je crois que vous avez passé par les baguettes.

— Par ma foi, répond maître Huguet, je m'y connais même si bien que j'en ferais un ouvrage gros comme un livre de théologie!

— Mais, fit Lubin, ne pourrait-on trouver quelques femmes qui voudraient loyalement aimer, sans être mues par l'avidité et la convoitise?

— Il s'en trouve, reprit maître Huguet. Je me contente de parler de celles qui sont le plus ordinairement ainsi, car j'ai été trompé comme mes compagnons.

– Je ne m'étonne pas, fit alors Pasquier, que vous ayez accordé au sujet tant d'intérêt et de chaleur. Mais je vous dirai ceci : ces propos conviennent mal désormais à nous autres vieillards; retournons aux premiers, qui ne concernent que la sagesse et les temps anciens. Par saint Aubert, vous ne faites ainsi que me faire venir l'eau à la bouche! Nous avons bien à faire de savoir ce que vous faisiez tandis que vous étiez écolier!

– Moi? s'écria maître Huguet, à Dieu ne plaise qu'écolier, je fisse rien de ce que font les écoliers d'aujourd'hui – s'il en reste –, car les femmes disent qu'ils n'ont pas plus tôt rattaché la braguette de leurs chausses qu'ils cherchent en hâte à qui le dire.

– De bonne foi, dit Lubin, j'ai pourtant entendu dire autrefois qu'avec de la graine de fougère [5], vous aviez fait... je ne sais quoi. Ah! vous êtes un gaillard! »

Maître Huguet souriait et détournait la tête, en priant Dieu de pardonner sa conduite du temps passé : nous devons tous en passer par là, ou par la fenêtre. « Allons, Pasquier, disait-il, racontez-nous quelque histoire de votre village. »

Celui-ci répondit qu'il n'avait rien vu en son

temps, hormis le vieux Thénot du Coin dont tout le monde connaissait la vie.

« Je suis bien sûr que tous en ont entendu parler; mais pourtant, vous êtes plus à même de le faire qu'aucun de nous, en raison de votre long séjour près de lui; aussi racontez-nous un peu sa manière de faire : cet homme-là était fait en dépit des autres, et il vivait à sa guise, sans se soucier d'autrui.

— Je dirai donc, fit Pasquier, ce que bon m'en semble; et se mouche qui voudra, s'il ne veut être bien attrapé. »

VII

THÉNOT DU COIN

« En ce temps dont nous avons parlé plus haut, vivait l'avisé Thénot du Coin, l'oncle de Thibaud Le Nattier. Il était ainsi appelé du Coin, parce qu'il ne sortit jamais de sa maisonnette, ou – pour ne point mentir – des limites et frontières de sa paroisse.

« Il trouvait en effet grand contentement à attiser son feu, faire cuire des navets sous la cendre, en étudiant dans un vieux fablier d'Ésope et en allant voir parfois si les geais ne mangeaient pas ses pois ou bien si la taupe n'avait pas bêché dans les fèves de son petit jardinet.

« Il y avait tendu des filets pour les oiseaux, qui ne lui laissaient rien. Ah! vraiment, j'affirmerai – sans mentir – que de deux boisseaux de fèves qu'il semait (et encore, selon la mesure de Châteaugiron [1]), il n'en eut jamais qu'un bon quart avec ces voleurs d'oiseaux! Aussi, ne me demandez pas s'il les envoyait au Diable!

« Cependant, quand il les y trouvait (et il les y trouvait quasi tous les jours), il prenait plus de plaisir à voir la grâce avec laquelle ils venaient, épiaient et s'en retournaient chargés, qu'à les chasser. Puis, quand quelqu'un lui disait :

" Comment acceptez-vous, compère Thénot, que sous vos yeux et ouvertement, ils vous gâtent vos pois ? Par la vertu saint Gris, si c'était moi... " le brave homme répondait :

" Oh, mon ami, je ressemble à ceux qui ont querelle avec de beaux parleurs. Avant de les voir, ils les tuent et les saccagent en paroles, mais lorsqu'ils se rencontrent, jamais il n'y eut d'amitié plus grande !

" Ainsi en est-il de moi : lorsque j'évalue à vue d'œil la consommation que font ces oiseaux de mes pois, je ne suis guère content et les souhaite le plus souvent dans la rivière. Mais quand je vais tout à propos les épier sous un coudrier, là, à côté, et que je vois l'adresse qu'ils ont pour regarder, çà et là, si je n'ai point tendu quelque lacet ou trébuchet pour les surprendre, et tout à coup, en prendre, et vite s'envoler, je me déclare satisfait, en considérant qu'il est nécessaire qu'ils vivent grâce aux hommes.

" Car enfin, certaines fois, ils m'attendent presque, sachant bien (je le pense ainsi) que je ne leur veux aucun mal; et le plus souvent, ils font leurs nids dans ma maison; l'hirondelle, par exemple, les passereaux et les autres, côte à côte, entrent parfois familièrement à l'intérieur, ou viennent dans ma cour avec mes poules et mes oies: j'y prends un plaisir que m'envierait un prince, et qu'il ne pourrait trouver qu'à grand-peine. "

« Le bonhomme tenait de tels propos sans penser à mal. Et il me souvient, disait alors Pasquier en poursuivant son récit, que, jeune garçonnet (comme votre fils Perrot, pourriez-vous dire, ajoutait-il en se tournant vers Lubin), il me menait par la main tout en jasant avec son compère Triballory, homme fort rusé et menteur confirmé.

« Une fois ensemble, ils en contaient de toutes les couleurs; le bonhomme Thénot, un petit bâton à crochet à la main, me faisait dire mille beaux mots à chacun, et tous bien à propos. Puis, ma bonne femme de mère arrivait, comme par hasard, et lui disait :

" Par mon serment, compère Thénot, vous avez bonne grâce de bien apprendre ainsi à parler à mon fils! Vraiment, je vous en suis fort reconnaissante! De bonne foi, vous êtes aussi mauvais que l'enfant!

– Oui-da, voilà de beaux propos, répondait le brave homme. Laissez-nous faire tous deux, et nous aurons de beaux blés à frais communs. Vous n'avez rien à voir ici; allez-vous en filer! "

91

« Alors je commençais (par exemple) à faire une cabane et à ramasser force petit bois. Le bonhomme, de son côté, ramassait quelque bagatelle pour m'aider, ou me fabriquait un couteau de bois, un moulinet, une fusée, une flûte d'écorce de châtaignier, une ceinture de jonc, une sarbacane de sureau, un arc avec du saule et sa flèche avec une tige de chanvre (ou du même matériau); ou bien une petite arbalète et son trait empenné de papier; un petit cheval de bois tout équipé, une charrette, un chapeau de paille; ou bien il me faisait un beau plumet de plumes de chapon et me le mettait à l'ancienne mode sur mon bonnet.

« Dans cet équipage, le bon Thénot et son compère Triballory, qui, sachant que les choux et le lard étaient cuits (ils le voyaient aux corneilles qui se retiraient des champs pour percher dans les bois, et au bétail qui, déjà, était mis à l'abri), s'en allaient à petits pas, en discutant d'une importante question : calculer par exemple sur leurs doigts quand serait la fête de Noël ou l'Ascension, car ils savaient très bien leur comput [2]; ou bien juger du caractère serein des jours à venir, grâce aux bruines du soir; puis ils me chargeaient d'un petit fagot de bois qu'ils m'avaient fait ramasser, disant qu'en vérité il ne faut jamais retourner chez soi les mains vides, et que c'est la devise d'un bon maître de maison.

« Une fois arrivés, ils se plaçaient en face l'un de l'autre comme deux fourbisseurs, et bombance! Tous deux en effet mettaient très bien le nez au tonnelet, s'il en était question.

« Après souper, ils recommençaient de plus belle à caqueter, écrivaient dans le foyer, chacun avec son bâton brûlé d'un bout, en affirmant que cela sert beaucoup aux fous. Un quidam passant par ce pays et averti de la vie du bon Thénot, qui ne fut pas moins sainte que louable, écrivit sur sa porte, d'un charbon de bois de saule :

Suive qui voudra des Seigneurs
Les honneurs,
Pompes et banquets de ville.
Ne sont pour moi tels labeurs,
Et ailleurs
Passe le temps plus tranquille.

Mes jours se passent sans bruit
Au déduit [dans les plaisirs]
De cette vie ombrageuse,
Dont un doux fruit est produit
Et réduit [convient]
A ma vie si heureuse.

La mort me sera joyeuse,
Glorieuse.
Mais à celui de tous connu

*Odieuse
Et fâcheuse,
Étant à lui-même inconnu.*

« Le bon Thénot passa sa vie à ces occupations, et vécut jusqu'à sa mort en dépit des médecins. Il mourut l'année et le jour où il trépassa, à la grande joie de Tailleboudin, son fils, héritier principal et noble [3], qui, peu de temps après sa mort, jeta tout par les fenêtres : il fut un terrible maître de maison, qui mettait un ordre encore jamais vu dans ses affaires.

– Savez-vous bien, demanda alors Anselme, quel est à cette heure son métier, et quel train il mène ?

– Nenni, répondit Pasquier, mais j'ai bien entendu dire qu'on ne sait où il est, et qu'on estime qu'il doit être pendu.

– Tant s'en faut qu'il soit pendu, dit Anselme, et encore moins étranglé : il fait plus grande chère que quiconque en cette compagnie. Si vous voulez savoir comment, je vous le dirai en deux mots. »

Alors, à la prière de toute la compagnie, sans refuser cette charge, il commença de parler :

VIII

DE TAILLEBOUDIN,
FILS DE THÉNOT DU COIN,
QUI DEVINT UN HABILE VOLEUR

« Comme l'a dit le compère Pasquier, poursuivit Anselme, Tailleboudin dilapida en peu de jours ce que le bonhomme Jamet avait acquis pendant toute sa vie. Quand il se vit en possession d'argent comptant, il en distribua à beaucoup de gens, ceux avec qui il avait le plus souvent affaire. Mais, afin de se maintenir sur ce pied, il vendit tout pour être riche : " En effet, disait-il, pensez-vous que je veuille me damner pour les biens de ce monde ? "

« Après qu'il eut bien joui et fait bonne chère à toute heure, il se vit avec comme reste de tout son bien, le Livre des rois (c'est-à-dire un jeu de cartes), trois dés, une raquette et une boîte pleine d'onguents pour se guérir des chancres, qu'il avait achetés au Lendit [1]. Voyant cela, comme personne ne le connaissait plus et que la faim commençait à lui allonger les dents, il devint l'un des Anges de Grève [2], bon petit porteur de hotte, crieur de fagots, et noble cureur de fosses d'aisance.

« Un jour où j'étais à Paris pour quelque affaire, je le trouvai en face de moi. Je lui demandai la raison de son changement d'état et s'il n'avait pas honte d'être ainsi un coquin et un maraud.

" Comment? me répondit-il, à qui crois-tu parler? L'habit, comme tu le sais, ne fait pas le moine. Si tu connaissais les avantages et les gains de mon état, tu accepterais volontiers de changer le tien contre le mien; car j'ose bien dire et me vanter que, sans faire de tort à personne, je connais assez tous les métiers qui se levèrent au matin *, pour en parler aussi bien qu'un autre.

" Mais entre tous, j'ai choisi le mien comme le plus lucratif et de meilleur revenu sans mettre la main à la pâte. Pour que tu comprennes bien : je ne me soucie pas de cinq sous si tu les dois! Je ne me soucie pas non plus de planter, semer, moissonner, vendanger. Rien! Rien! J'ai tant de gens qui font cela pour moi! Tel a un porc dans son saloir dont je mangerai quelque morceau, et il ne s'en doute pas! Tel a cuit aujourd'hui du pain pour moi, et il ne s'en doutait pas en le faisant! Et ne pense pas que si l'habit est celui d'un coquin, l'esprit soit lourdaud!

* Qui apparurent à l'origine du monde.

« Allez! je gagnerai plus en un jour à conduire un aveugle ou à le contrefaire avec vraisemblance, à me fabriquer grâce à certaines herbes des ulcères aux jambes pour en faire étalage dans une église, que tu ne le ferais en trois jours à passer la charrue et à travailler comme un bœuf; et encore, pour être payé l'année d'après! A moi, ne donne que celui qui veut : je ne prends rien par force; c'est un acte volontaire et non contraint.

« Écoute, me disait ce joyeux Tailleboudin, mais je compte bien parler à une tombe : ferme ton bec seulement et je te ferai riche, si tu veux me suivre. Il faut que tu comprennes qu'il y a entre nous tous, qui sommes en nombre presque incroyable, des commerces, des assemblées, des monopoles, des boutiques de change, des banques, des parlements, des juridictions, des banquets d'associations, des mots de passe et des charges pour gouverner, les unes dans une province, les autres dans une autre.

« Car enfin, nous nous connaissons les uns les autres sans même nous être jamais vus; nous avons nos rites, propres à notre métier, nos objets d'admiration, nos serments à garder inviolablement, nos statuts que feu Ragot [3] de bonne mémoire, notre prédécesseur, a tirés de nombreuses et avantageuses coutumes, avec des ajouts de son cru. Nous y obéissons autant que vous le faites à vos lois et coutumes, bien que les nôtres ne soient pas écrites.

" Il y a plus : il n'est permis à personne de vouloir s'immiscer dans nos affaires avant d'avoir prêté serment de ne pas révéler les secrets du conseil et d'apporter bien fidèlement le gain, le soir, à l'endroit désigné. Endroit où probablement le grand seigneur n'a pas table mieux servie ni plus variée et où il ne boit guère plus frais; tout cela à minuit, car éviter le scandale est l'un des principaux points de notre religion. "

« Il me disait ensuite :

" Ne vois-tu pas ces aveugles, ces gens défigurés, au visage informe? D'autres, les bras pendants, blessés par la foudre? Mais ils appartiennent à un pendu, tandis que leurs vrais bras sont serrés contre leur corps! N'en vois-tu pas d'autres avec les mains crochues? Ils les ont à table aussi droites que les autres! D'autres un jarret pendant à la ceinture? L'un qui contrefait le lépreux en se serrant la gorge avec un filet? L'autre, qui a brûlé sa maison, et qui porte un long parchemin que nous lui avons fabriqué et authentifié? L'autre qui tombe du mal Saint-Jean [4], alors qu'il a la cervelle aussi solide que toi? L'autre qui contrefait le muet en rétractant discrètement sa langue? N'as-tu pas vu celui qui affirmait que les intestins lui tombaient du ventre tout en montrant des boyaux de mouton? Et quelle tromperie est-ce là? Celui-ci se déplace à l'aide de deux petites planchettes; or, à l'assemblée des gueux, il exécute un saut périlleux ou une voltige mieux qu'aucun bateleur qui soit en cette ville.

" Pour cette raison, la rue où nous nous retirons à Bourges s'appelle la rue des Miracles; car ceux qui, à la ville, sont tordus et contrefaits, sont là droits, alertes et dispos. Je veux te dire la vérité : cette femme que tu vois à Angers, le visage mutilé, chante comme une sirène quand elle est de retour : elle gagne plus que le meilleur artisan de la ville, de quelque métier qu'il soit. Croirais-tu bien que j'ai voulu affermer pour trois francs son gain d'un jour de Pâques?

" Il y a aussi dans ladite ville une femme née de riches parents, qui, ayant pris goût à notre bonheur, n'a jamais voulu nous quitter, quelque remontrance qu'on ait pu lui faire : elle affirmait que le métier était trop lucratif pour être échangé contre un autre plus honorable, mais moins achalandé.

" Pour ma part, je ne donnerais pas mon gain et les autres émoluments du fief pour cent bonnes livres tournois, barbe rase et pied ferrat [5]!

" Regarde, me disait-il, cette énorme plaie sur cette jambe; ne me jugerais-tu pas plus près que loin de la mort? Et cette face est-elle assez pâle et terne? Pourtant, en un instant, j'aurai ôté tout cela et je serai aussi gai et décidé que toi : car voilà ma boîte avec mes onguents; ceci pour la jambe; pour le visage, un peu de soufre préparé comme chacun sait.

"Il y a tant de voyageurs, les uns à Saint-Claude, à Saint-Méen, les autres à Saint-Gervais, à Saint-Mathurin [6], qui ne sont en rien malades : nous les envoyons là afin de voir le monde, pour apprendre. Par leur intermédiaire, de ville en ville, nous faisons savoir (le tout dans notre jargon) ce que nous apprenons de nouveau; en ce qui concerne notre activité, c'est surtout quelque manière de procéder nouvellement inventée pour attraper l'argent.

"Comme tu le vois, les couvents de moines se partagent les paroisses pour y prêcher; nous nous partageons de même les provinces pour, à un certain moment, tout ajouter au butin commun.

"En outre, dans notre métier, il existe des femmes tellement expertes et savantes que, dès qu'un enfant est né (tous les jours en effet, il en est fabriqué), elles le rendent tout contrefait : elles lui tordent la tête ou un pied de côté; le font bossu, lui apprennent à tourner les yeux pour imiter l'aveugle, et cela, surtout au soleil.

"Tu imagines aussi combien il est agréable de me voir haranguer une pauvre femme de village; je lui en conte de belles! Si elle m'a donné du lin ou du chanvre, il me faudra du lard pour faire un

100

emplâtre. Tandis qu'elle sera au saloir, s'il se trouve quelque chose à l'écart, elle n'en sentira que le vent! Je lui vendrai quelque relique que j'ai moi-même rapportée de Jérusalem, une image, ou quelque bagatelle.

" Que Dieu protège le compagnon qui, en trois jours, a gagné un bel écu à porter une lettre! J'entrerai, tu l'imagines, là où tu n'oserais mettre le nez. Eh quoi! les amours des grosses bourgeoises ne vont leur train que grâce à deux ou trois vieilles de notre confrérie, qui en tirent Dieu sait quel revenu et font venir l'eau au moulin de bonne façon. "

« Je lui demandai alors :

" Écoute, Tailleboudin, ne crains-tu pas de tomber entre les mains de quelque fin frotté qui connaisse tes ruses et tes finesses?

– Ma foi, répondit-il, je le crains comme le feu. Avant tout, je ne voudrais pas aller à Rennes; certains de mes compagnons, qui se croyaient bien fins et en remontraient aux autres, y ont été frottés, étrillés et y ont laissé quelque oreille [7]. Mais, à ce propos, j'ai bien usé cette année d'une très grande ruse.

– Comment? lui dis-je.

– Ma foi, répondit-il, voilà ce que je fis. Je pris en effet mes deux petits enfants, avec ma garce; je les monte sur mon âne (j'entends, les enfants); et je contrefaisais le bourgeois spolié de ses biens par la guerre. J'y fis un gain extraordinaire et principalement grâce à une jeune garce que je pris à Hurleu[8]; je prétendais qu'elle était ma fille; et c'est alors que j'avais le plus de muguets aux trousses, le plus de maquerelles!

" Elle, qui connaissait très bien son rôle, contrefaisait la pucelle, quoiqu'elle eût couru tous les bordels de France, et leur accordait ses faveurs moyennant une bonne somme qu'ils avançaient. Tandis que j'étais près des églises avec mon âne, elle pratiquait de son côté, en faisant semblant toutefois devant moi de n'y avoir jamais touché pour donner meilleure apparence à la farce. Aussi était-elle tellement poursuivie que je fus contraint de la donner à un gros chanoine qui me la paya ce que je voulus. Puis, comme je voulais partir, je la lui enlevai et je la vendis par ce même moyen à plus de quinze hommes qui tous eurent la vérole. En somme, je te le dis, mon ancien voisin, mon ami, j'étais pourri, si je ne l'avais déjà été. "

« Là-dessus, le gaillard s'éloigna et je ne l'ai jamais revu depuis.

– Je n'aurais pas pensé, dit alors Lubin, que c'eût été un tel client. A le voir, du moins tandis qu'il demeurait dans ce pays, on eût dit qu'il n'aurait pas même su délier une mouche. Mais quelle est la raison pour laquelle il s'en alla de ce pays? Car cela fait bien dix-sept ans que je ne l'ai vu. »

A cela, Anselme répondit qu'il ne connaissait pas d'autre raison que le dépit d'avoir mangé tout son bien.

« Ce ne fut pas la principale, dit maître Huguet. Ce fut parce qu'il avait donné un coup de trique à je ne sais qui de Vindelles; c'est pour cette raison qu'il s'en est allé.

— Vous dites vrai, s'écria Pasquier; il y a je ne sais combien de temps, les gens de Flameaux et ceux de Vindelles eurent un grand différend; mais ma foi, il ne m'en souvient plus! »

Maître Huguet demanda alors à la compagnie s'il leur plairait qu'il leur parlât de l'énorme et périlleuse bataille qui eut lieu entre eux. Tous répondirent qu'ils le souhaitaient : ils se souvenaient d'un grand échange de coups, surtout entre les femmes.

Maître Huguet commença à la source de la querelle, sans mentir d'un seul mot.

IX

DE LA GRANDE BATAILLE ENTRE LES GENS DU VILLAGE DE FLAMEAUX ET LES GENS DE VINDELLES [1] A LAQUELLE PARTICIPÈRENT LES FEMMES

« Au mois de mai, où les combats amoureux recommencent dans les champs, les gens de Flameaux firent une archerie [2]. A chaque fête, ils s'y exerçaient fort à tirer à l'arc si bien qu'on ne parlait que d'eux dans tout le pays, et à leur grand avantage. Mais ceci ne dura guère. Les gens de Vindelles, proches voisins comme vous le savez, mus par l'envie, en conçurent une haine cachée, entendant la louange et la bonne réputation qu'on faisait aux Flameaux, alors qu'on ne parlait pas d'eux; pourtant, ils étaient aussi aimables, gaillards et habiles que tous les voisins qu'ils pouvaient avoir!

« Ils dissimulèrent cette haine et feignirent sans se trahir, bien que, se retrouvant souvent dans les landes et les pâturages communs à garder leur bétail, à bêcher ou travailler à quelque autre ouvrage, ils eussent là une belle envie de chercher querelle. Ils ne purent cependant cacher longtemps cette envie; il fallut qu'ils se déclarassent, comme le feu couvert pendant un long moment rend tout d'un coup une plus grande flamme à cause de la chaleur très étouffée.

« Aussi, un jour où quatre ou cinq hommes de chaque côté s'étaient trouvés par hasard ensemble, les gens de Vindelles commencèrent à chercher querelle : ils formèrent un cercle autour des Flameaux et contestèrent leurs prérogatives. Les gens de Flameaux se sentaient tout à fait étonnés, eux qui ignoraient la raison de toutes ces menées et disaient que la querelle était fondée sur un pied de mouche. Aussi priaient-ils les gens de Vindelles de s'abstenir de les quereller, et de ne plus les piquer : ils se connaissaient tous les uns les autres sans faire tant de grimaces; aucun d'eux ne pouvait se passer de son voisin.

"Oh! répondaient les gens de Vindelles, si nous avions autant d'écus que vous pensez valoir de crottes de chèvre, nous serions riches ! "

Les Flameaux, sagement, ne répondirent rien (il n'est en effet de pire sourd que celui qui ne veut entendre), si ce n'est :

"Bien, bien, nous leur dirons. Vous êtes de braves et beaux enfants! Allez, allez! Vous êtes ivres de lait caillé! "

« Les gens de Vindelles, bien échauffés, répondaient pour leur défense que les Flameaux n'étaient que de petits muguets, de petits vaniteux qui se souciaient peu de travailler leur terre : pauvres comme des rats, ils n'avaient de bon que le bec. Leurs terres, affirmaient-ils, étaient de meilleur rapport que celles des Flameaux; sur ce point, ils voulaient bien croire en vérité les gens du gué de Vède[3], amis communs et proches voisins des deux. Pour leurs bêtes – si on le jugeait bon – ils mettraient leurs moutons à lutter contre ceux des Flameaux; ils en disaient de même des taureaux. Quant à continuer de mettre en avant un tas de balourdises, il n'en était pas question, comme ils l'avaient déjà décidé.

« Les gens de Flameaux soutenaient fort et ferme le contraire : ils avaient, affirmaient-ils, de meilleures coutumes et un territoire plus fécond que celui de Vindelles où il ne poussait que des chardons, des épines et des églantiers; les Vindellois vivaient comme des bêtes baptisées, sans le moindre passe-temps. Eux au contraire, triomphaient dans leur archerie où venaient de très belles filles qui ne daignaient pas aller à Vindelles, parce que les gens n'étaient que des lourdauds et de gros veaux de dîme.

« Ce sujet de querelle fut longuement agité d'un côté et de l'autre; ils se seraient volontiers donné des coups sur le haut de leurs personnes, si certains d'entre eux, plus sages, n'eussent agi en modérateurs et n'eussent calmé les colères trop ardentes. A la fin, quand les deux villages en furent abreuvés, chacun d'entre eux se sentit un grand besoin de dédommagement; et des deux côtés, on réclama d'extraordinaires réparations.

« Les gens de Vindelles surtout, de qui – pour dire les choses entre nous – venait tout le différend, prétendaient avoir été extraordinairement outragés; ils cherchaient le moindre motif de se quereller et disaient (pour parler sérieusement) qu'il fallait qu'on les laissât manger leur soupe en paix, attendu qu'ils ne demandaient rien aux gens si on ne les provoquait pas d'abord : que chacun assurément se tînt sur ses gardes!

« Sur les conseils des gens du gué de Vède qui pensaient en définitive occuper les deux villages, ils décidèrent donc de donner une aubade à l'archerie des gens de Flameaux le dimanche suivant, quitte à se faire rendre la pareille. La plupart d'entre eux furent de cet avis, surtout Jouan Pretin qui mettait le feu aux poudres et se démenait le plus, disant qu'il fallait leur en donner puisqu'ils en demandaient! Il savait bien qu'il en serait ainsi lorsque les gens de Flameaux leur avaient rendu, au retour de leur jeu, leurs habits tout déchirés! Il ne serait ni bon ni honnête de rechercher leur amitié! Il leur rappelait ainsi tout un tas de querelles qu'ils avaient eues, comme les voisins – vous le savez – en ont souvent.

108

« Après avoir examiné la question sous toutes les coutures et longuement passé la querelle au crible, il fut conclu et décidé par tous que, le dimanche suivant, ils se lanceraient à l'assaut des gens de Flameaux.

« Lorsque ce dimanche arriva, ils se retrouvèrent tous chez Talbot le Rebrassé, tavernier, équipés de pied en cap; ils portaient des broches de fer, des fourches ferrées, des vouges[4], des leviers, des tordoirs, des bâtons à deux bouts, des tisonniers, quelque méchante pertuisane datant de la bataille de Montlhéry[5] et d'autres armes semblables d'attaque et de défense. Après avoir bu de magistrale façon, ils se mirent fièrement en ordre et en chemin, la tête en feu, bien résolus à faire un beau coup.

« Ils avaient devant eux, pour lancer le défi, Tourgis, un joueur de cornemuse, et le meunier de Blochet avec son hautbois, qui soufflaient comme des enragés.

« Nos Vindellois cheminèrent si bien que les gens de Flameaux, qui y songeaient autant qu'à aller se noyer, pouvaient facilement les entendre mener grand train et rire à haute voix en disant :

" Compagnons, nous ne sommes pas venus ici, vous le savez, pour dévider des chapelets. Que chacun montre seulement de quoi il est capable, puis laissez faire les bœufs de devant! "

« Lorsqu'ils furent assez près du champ où tiraient les gens de Flameaux, le bruit et le tapage qu'ils menaient firent que beaucoup d'entre ces derniers vinrent regarder en courant ce que c'était. Ils furent bien ébahis en voyant qu'il s'agissait de leurs ennemis mortels : ils n'auraient jamais pensé les voir si audacieux.

« Une fois arrivés, ceux de Vindelles commencèrent, sans dire un mot ni saluer la compagnie, à danser un branle. L'un des Flameaux voulut alors se mêler à leur danse; il fut repoussé de grossière façon : ils lui avaient sans doute amené des sonneurs tout exprès parce qu'il était le plus beau danseur! Puis ils se moquèrent de tout le village en ajoutant que ces vauriens n'oseraient pas tousser, eussent-ils mangé un plein sac de plumes! Les archers avaient cessé leur archerie pour voir l'arrivée. Mais en entendant que cela venait des injures qu'ils s'étaient dites les jours précédents, et qu'il fallait s'en arranger, ils retournèrent à leur archerie.

« Avez-vous jamais vu un chien, qui, surpris alors qu'il dérobait un morceau de lard, sachant qu'il a mal fait, s'enfuit à petits pas, la queue entre les jambes, en regardant parfois derrière lui? Voilà comment étaient les gens de Flameaux, laids et honteux. Ils commencèrent toutefois à faire un effort et à prendre courage en se représentant la très grande vilenie que leur

110

faisaient les gens de Vindelles et leur téméraire audace de venir ainsi les défier jusqu'à leur porte : ils n'auraient jamais imaginé que, pour si peu de paroles (où ils étaient en outre les plus maltraités), les Vindellois eussent voulu leur infliger pareil affront.

« Tout bien pesé, ils conclurent que s'ils ne donnaient pas l'assaut, ils étaient à jamais infâmes et déshonorés; ils n'oseraient pas se trouver dans les bons endroits et les bonnes compagnies, vu surtout que leur honneur en dépendait et en subissait un très lourd préjudice. Le courage et l'audace crûrent, une fois ces points d'honneur succinctement établis.

« C'est ainsi que l'un s'échappant par ici, l'autre par là, ils se trouvèrent bien trente chez la Jambue, qui tenait taverne; ils y firent si bonne diligence – après avoir bu un coup ou deux – qu'ils furent bientôt aussi équipés – sinon mieux – que la partie adverse, bien qu'ils ne fussent pas en aussi grand nombre; mais le plus souvent, la victoire ne revient pas au très grand nombre.

« Une fois prêts, ils décidèrent de ne pas les assaillir dans la plaine car le risque y était trop grand, mais au contraire d'aller les arrêter dans le chemin creux, lieu avantageux pour eux. Cela parut bon, surtout à un vieux routier qui avait autrefois suivi la guerre et qui disait qu'il était permis d'encercler l'ennemi par toutes les voies et de toutes les manières. Les offensés se transportèrent donc là, bien remontés et résolus à montrer aux Vindellois leur bec jaune et à leur donner une leçon.

« Les Vindellois furent tout ébahis de ne voir personne auprès d'eux; tout le monde s'était absenté, sauf deux ou trois vieillards qui s'adressèrent à eux pour leur faire des remontrances sur quelques points de courtoisie : ce n'était guère bien agir que d'interrompre leur passe-temps de la sorte et de venir les assaillir, pour ainsi dire, jusque sur leur fumier; ils pourraient bien s'en repentir parce que tout vient à point à qui sait attendre! Les gens de Vindelles, malgré toutes ces remontrances, lançant la jambe aux chiens, firent un tour de danse et les mirent au défi à travers plusieurs injures diffamatoires.

« Après avoir jeté les cibles à terre, ils prirent en désordre le chemin du retour, sans songer à une embuscade; les Flameaux, disaient-ils, n'avaient rien dans le ventre et n'étaient pas des adversaires pour eux; à tout jamais, ils en seraient méprisés, sans compter qu'à grand vent, petite pluie! De tout cela, ils firent une chanson qu'ils chantaient fort mélodieusement, puis qu'ils dansaient en mesure, si bien qu'ils se trouvèrent près du chemin Creux.

« Ce chemin n'était pas sans raison appelé Creux car il était fort obscur et profond, et si

112

étroit qu'une charrette en occupait toute la largeur; deux talus, d'un côté et de l'autre, rendaient impossible de jamais s'échapper par là; dans ce chemin, je l'ai dit, se trouvaient cachés les Flameaux, les uns à un bout, les autres sur les bords, avec de belles pierres.

« Les Vindellois dansaient encore et jasaient à tue-tête quand ils commencèrent à entrer dans le chemin, où ils furent reçus de fière manière. Les gens de Flameaux, sans autre préliminaire ni explication, commencèrent en effet à les bombarder de belles pierres; au premier abord, les Vindellois ne surent d'où cela venait; ils se trouvèrent bien étonnés – comme ils en plaisantaient par la suite – et furent tout ébahis de se voir jetés à terre à coups de pierres. Aussi commencèrent-ils à prendre le large, courant en foule pour sortir du chemin. Mais, ô mauvaise rencontre! voilà qu'ils trouvent au bout une douzaine de gens de Flameaux, qui, avec de gros leviers de charrettes, leur faisaient l'aumône de grands coups sur les épaules, sur la tête, et leur livraient ainsi leur souper. Ces pauvres Vindellois, se voyant ainsi surpris et si doucement traités, criaient à l'aide, à l'assassin, au meurtre.

" Hé! messieurs, ayez pitié de nous, hélas! Pardonnez-nous!

– Par le sang bleu! disaient ceux de Flameaux,

les pardons sont à Rome! Vous en aurez, tudieu!
Vous faites les gaillards! Et sus! Quoi? Comment? Frappe à gauche, frappe à droite!"

« Il faut aussi remarquer (car voici le clou de l'histoire!) que les femmes des deux villages pouvaient facilement entendre le bruit et les cris d'alarme qui se faisaient là. Chacune décida donc d'aller voir ce qu'était ce passe-temps; car il ne restait plus d'hommes, sinon les plus âgés, qui étaient restés garder la maison, attiser le feu et déplacer la marmite : ils y vinrent aussi, mais ce fut sur le tard.

« Toute occupation interrompue, les femmes se trouvèrent donc là, bien échauffées; et – c'est la volonté de Dieu – celles de Flameaux se trouvèrent face à face avec celles de Vindelles. Les Vindelloises, en voyant ainsi maltraiter leurs pauvres et méchants maris, voulurent exercer leur vengeance sur les épouses des gens de Flameaux. De fait, elles commencèrent à grands coups de pierres. Celles de Flameaux leur rendaient la pareille avec de beaux cailloux; mais, comme un joyeux compagnon qui évaluait les coups leur dit, pour se moquer d'elles, qu'elles ne pourraient jeter de pierres sans lever la cuisse, elles commencèrent, dépitées, avec de beaux coups de poings sur le nez, à se tirer par les cheveux, à se traîner l'une l'autre, à s'écorcher le cul, s'égratigner, se mordre, s'arracher la coiffe

114

et se faire mille maux comme – vous le savez – s'en font les femmes.

« Je les abandonne un peu pour revenir aux Vindellois qui avaient, en gens de bonne compagnie et pour plus de sûreté, joué de l'épée à deux jambes. Ils avaient beau demander miséricorde, crier qu'on les laissât pour cette fois, on chargeait sur eux de si bonne grâce et de telle façon que, dans leur fuite, ils furent poursuivis jusqu'à leur village; et encore, à peine pouvaient-ils trouver leur maison, tant la hâte et la peur qui les animaient étaient grandes.

« Les Flameaux, du moins certains, voulaient avec trop d'âpreté pousser outre leur avantage. Les Vindellois avaient leur compte, dirent cependant de plus sages; il ne fallait pas se venger si cruellement. On tomba d'accord : ils se retirèrent avec la cornemuse et le hautbois – ce dont ils se réjouirent vivement.

« Ils vont alors trouver les femmes qui se battaient encore. Il y avait dans ce combat des chiennes féroces de tous les côtés, qui frappaient comme des enragées; l'une, parmi elles, frappait à tour de bras avec son soulier ferré; une autre, avec une pierre qu'elle avait mise dans sa bourse, frappait comme avec un casse-tête. Bref, il n'y en avait pas une qui n'argumentât comme une diablesse! Ces bonnes dames y seraient encore si la nuit ne les avaient séparées.

« Chacune se rangea donc sous son enseigne, sans filet ni couvre-chef sur la tête, le visage tout égratigné, les oreilles presque arrachées, les cheveux arrangés Dieu sait comment et les robes déchirées.

« La nuit tombant, elles commencèrent à s'injurier de belle manière et à se traiter de putains, catins, prêtresses de bordel, tripières, ogresses, vieilles édentées, vicieuses, paillardes; de voleuses, maraudes, coquines, sorcières, infâmes, truies, chiennes, commères de mes fesses; de foireuses, morveuses, chassieuses, pouilleuses, baveuses, merdeuses, vaniteuses, malheureuses, souffreteuses; de vieilles arquebuses à croc, vieux poisons, vieux couffins, rebuts de soldats, maquerelles, souillons, effrontées, puantes, rouillées, fanées, mâtines tannées, louves. Ces déesses criaient et bramaient tellement que tout le bois de la Touche en retentissait, ainsi que Hillot Fesse-pain (qui y était alors et y coupait une branche d'orme pour faire un arc) me le conta depuis.

« Dire en vérité qui gagna et emporta le prix, on ne saurait le faire avec sûreté, vu l'adresse et la hardiesse des deux côtés, en fait de coups de poings et de babil; de part et d'autre, elles étaient presque épuisées qu'elles se menaçaient encore!

« Ce chemin, que tout le monde connaissait

116

sous le nom de chemin Creux, fut dès lors appelé le chemin de la Rencontre. Depuis, ils se sont à tel point ancrés dans leur colère et le sentiment de leur droit que si, par hasard, ils se rencontrent dans ledit chemin (deux hommes peuvent bien se rencontrer, deux montagnes non – à moins que deux bossus ne soient dos à dos!), il faut absolument qu'ils se donnent assaut et se ruent l'un sur l'autre, à seule fin d'entretenir cette bonne et louable coutume. Ils ont ainsi promis et juré de le faire; de leur gré et consentement les y avons condamnés et les y condamnons, aujourd'hui pour hier et hier pour aujourd'hui.

« Voilà ce que j'avais à vous dire de cette journée du chemin de la Rencontre. Je vous en ai dit, je vous l'assure, tout ce que l'on m'en a rapporté. »

Anselme prit alors la parole pour dire que les Vindellois, de temps immémorial, étaient très querelleurs, et qu'il n'y avait pas d'ordre à leur colère. Aussi, le plus souvent – et même toujours – étaient-ils battus ou leur faisait-on quelque tromperie. Il se rappelait, ajoutait-il, comment ils subirent de grosses pertes en allant à haguille-neuf [6] parce que, sans raison, ils avaient infligé un grand affront à Mistoudin.

« Je crois, dit alors Pasquier, que la compagnie ne me désavouera pas si je cherche à obtenir pour elle que le compère Anselme nous raconte l'audace des Vindellois, et surtout comment, à leur grande honte, ils allèrent à haguilleneuf.

— Ne faites pas tant d'embarras, répondit Anselme, aussi bien, j'étais décidé à conter cette histoire. »

X

MISTOUDIN SE VENGE
DES GENS DE VINDELLES
QUI L'AVAIENT BATTU
EN ALLANT A HAGUILLENEUF

« Pour continuer le récit du compère Huguet, poursuivit Anselme, les Vindellois, bien que téméraires et vaniteux, ont cependant la réputation d'avoir apporté de nombreuses coutumes à ce pays, les unes bonnes, les autres mauvaises. Ce sont même les premiers que j'ai vus porter des bonnets à croupière, des chausses à martingale [1] et à queue de merlu [2], des souliers à poulaine et des chapeaux albanais [3]. Avec cela, on les a de tout temps considérés comme les meilleurs joueurs de boules du pays et les plus capables. Ils sont aussi bons mangeurs de fèves que l'on puisse trouver; assurément, ils ne se cachent pas quand on dîne!

« Un jour, ils s'avisèrent après boire (ainsi viennent à la pensée des hommes nouveaux avis et nouvelles opinions) que, puisqu'ils avaient tiré grand profit d'aller chanter des Noëls au Bas-Champ, à Trémerel, à Tellé, à Huchepoche [4] et dans d'autres villages, qu'ils avaient amassé force pommes, poires, noix et quelques onzains [5] (et bu tout autant), il ne fallait pas pour cela s'en contenter et abandonner la partie; il fallait au contraire, le premier jour de l'an, aller à haguilleneuf, comme c'est l'ancienne coutume : la fortune leur avait été prospère au début; la fin, leur semblait-il, ne saurait être malheureuse.

« En bref, voilà pourquoi, au jour dit, bien décidés et résolus à aller à haguilleneuf, ils s'équipèrent convenablement de bons bâtons de pommier, de fourches, de vouges et de quelques vieilles épées rouillées, avec une forte arbalète de passe [6] qui était au premier rang et servait à demander : " Qui est là, qui bruit ? qui vous mène ? Tue ! tue ! chargeons, donnons ! " avec d'autres propos et demandes semblables lancés durant cette nuit.

« Cependant (qu'on ne m'accuse pas de mensonge !), Baudet, le fabricant de fuseaux, était devant tous avec un tambour des Suisses qu'ils avaient emprunté à la Séguimère. Il y avait aussi maître Pierre Baguette qui faisait tout le *Tu autem* [7] et sonnait du fifre, comme il le disait, sa rapière sous le bras; il faisait le bon compagnon, prétendant qu'il ne la portait pas pour faire mal, mais pour piquer les limaces. Lubin Garot (l'homme le plus habile à prendre les grenouilles que j'eusse jamais vu) portait une grande et large poche pour mettre les andouilles et les autres émoluments de la quête; je crois qu'il portait aussi la bourse, mais je n'en sais rien. Hervé le Rusé portait la broche pour le lard, quoique certains m'aient dit que c'était Colin Guarguille; qui était-ce, c'est tout un et n'a pas d'importance.

« Ainsi bien équipés, ils marchèrent longtemps, très échauffés, chantant une chanson fort mélodieuse que maître Pierre leur apprenait et que lui-même avait composée, puisqu'il était très bon rimeur et était volontiers convié à tous les jeux qui se faisaient.

« Au-delà du pré de Rollard [8], ils rencontrèrent par hasard Mistoudin, du village de Flameaux, qui venait de mener boire ses chevaux au gué de Vède ou de Bellouse [9]; il était rentré ce jour-là de Laringues [10] où il avait porté une charretée de fagot à Robin Turelure, et il n'aurait su plus tôt les abreuver. Maître Pierre, qui était devant, reconnut en Mistoudin un de leurs gaillards de Flameaux, et lui dit assez haut :

" Ah, que Dieu te garde! Or ça, compagnon, donne-nous l'haguilleneuf.

— Par ma vie, répond Mistoudin, messieurs, je ne saurais rien vous donner ici, car je n'ai pas ma bourse; mais s'il vous plaît de venir jusqu'à ma maison, Perrine trouvera, ma foi, quelque chose à vous donner, et avec cela, nous boirons.

– Sainte Grigne *, dit maître Pierre, qui ne demandait que l'occasion de frapper, tu veux nous envoyer à une lieue d'ici pour un bout de lard? Par la mère de Dieu, je t'apprendrai à te moquer des garçons et à manger les poires aux gens qui ne te demandent rien! "

« En disant cela, il lui bailla un coup de couteau à travers les cheveux, qui descendit sur le bras droit, auquel il eût causé de vilains dommages si le manche du fouet n'eût retenu le coup. Mistoudin, voyant que maître Pierre voulait en rajouter et que le premier argument ne lui suffisait pas, commença à piquer de la botte et à donner du talon à sa jument, et hue! Il regardait s'ils le suivaient; mais les Vindellois continuèrent leur chemin en riant.

« Mistoudin, jurant et protestant qu'il s'en vengerait, galopa tellement qu'il arriva à son logis hors d'haleine, et peu s'en fallut que sa femme ne lui donnât des coups, car, lui disait-elle, les soupes étaient trempées depuis au moins une heure! Il ne pouvait donc s'empêcher de voir sa bonne amie quand elle ramenait ses vaches ou allait à la fontaine! Qu'elle sache que la femme de Mistoudin était tout aussi belle et bien en

---

* Sainte aussi imaginaire que saint Quenet. La grigne est la fente pratiquée sur le dessus du pain, dans le sens de la longueur.

chair! Mais c'est quelque chose que la fantaisie des hommes!

« Le pauvre Mistoudin s'excusait : que Dieu lui vînt en aide! Ce n'était pas vrai! Jamais il n'y avait songé, quoi qu'ait dit Margot la noiraude, la plus mauvaise langue, vraiment, qui fût à un trait d'arc! Elle serait bien en colère si elle n'avait pas toujours quelqu'un sur qui caqueter!

« Le pauvre homme retrouvant alors son bon sens, de fil en aiguille lui conta toute l'affaire, non sans pleurer à chaudes larmes. Grâce à ces pleurs, il fut excusé, bien qu'elle lui dît que c'était bien fait, qu'ils étaient d'aussi bons gaillards que lui; il fallait qu'il leur eût tenu de grands discours! Une mouche suffisait à l'occuper pendant une heure d'horloge!

« Mistoudin, qui n'en pensait pas moins, affirma qu'il s'en vengerait ou mourrait de dépit; s'il supportait cela, il en supporterait bien d'autres! Sur ce, en colère au point qu'il ne daigna même pas souper, il envoya quérir son frère Brelin en lui demandant d'apporter sa pique double. Celui-ci fut bientôt arrivé, en grande hâte, et, bien échauffé, ne demanda en entrant ni ce qu'il y avait, ni quoi, ni comment.

"Où sont-ils? Quoi? Qu'est-ce? Par le sang Dieu! A moins de sept, laissez-les moi! Hon! Hon! Ventre saint Gris! Ah! Ventre saint Quenet, que n'y a-t-il la guerre!

– Sur mon Dieu, dit Mistoudin, l'affaire est comme ci, puis comme ça; par ce moyen et puis par celui-là... Regardez! Mais toutefois... Pourtant c'est... Vous devez comprendre...

– Nenni! "

« Pendant ce temps, il lui contait toute l'affaire, en ajoutant et en ôtant comme un homme qui conte quelque querelle, qui enjolive et présente l'affaire sous son meilleur jour lorsqu'il a le beau rôle. Il était, ajouta-t-il, décidé à se venger par un moyen qu'il lui dirait! Mais d'abord, qu'il s'assît, se mît à l'aise et qu'il lui pardonnât s'il se trouvait... car il était trop fâché de l'offense.

" Assez, assez, dit Brelin après avoir un peu repoussé son chapeau. Contez, contez tout, hein! Tubieu! Bon sang ne peut mentir! Par saint Just, ceux de Vindelles n'ont rien gagné à nous faire du tort; j'espère – si le bâton que voici ne me fait pas défaut – qu'ils ne nous en feront pas plus!

– Par ma conscience, fit l'outragé, j'ai décidé que vous et moi leur donnerions la chasse, l'argument à la main : ils passeront sur la chaussée de l'étang de Huchepoche [10]; or, il y a une planche en son milieu, vous le savez, parce que la chaussée est rompue. M'entendez-vous?

– Allez, allez, dit Brelin. J'entends et au-delà.

– Je serai donc, poursuivit Mistoudin, au bout de la chaussée, vêtu d'un linceul comme un homme mort, ma faux à la main, et pour cause! Quant à vous, vous serez à l'autre bout, caché près de la planche. Or, ces Vindellois, mes agresseurs, ne pourront manquer de passer par là, car où diable iraient-ils? Feront-ils le détour jusqu'à Jauzé [11]? Dès qu'ils auront tous franchi la planche, vous ôterez le carreau sans faire de bruit. Alors, quand ils arriveront près de moi, je me dresserai, la faux à la main. Je vous assure qu'à la seule vue de ma grimace, ils lâcheront de si belles vesses que, s'ils ne s'enfuient pas, appelezmoi Jules! Le plus beau de l'affaire sera qu'ils tomberont tous dans cette fosse où il y a encore de l'eau à en faire sécher leurs braies! Après, comme ils auront, par peur, abandonné leurs hardes, nous aurons poches et sacs; et ainsi je serai vengé. Examinez si mon idée est bonne car la colère me ferait peut-être entreprendre une chose dont je ne pourrais venir à bout.

– Assez, assez! dit sa femme, vous n'êtes qu'un sot; faites-le, et, sur mon honneur, vous vous en trouverez bien! "

« Brelin s'y opposait : il voulait y aller seul et donner l'assaut de toutes ses forces, quoi qu'il pût advenir! Après avoir mûrement réfléchi et discuté de tout cela avec sagesse et discernement, le premier plan fut cependant adopté. Ils burent un coup, prirent leur équipement et s'en allèrent au dit étang où chacun se mit à son poste, résolu (selon le serment loyalement prêté sur la faux de Huguet) à les recevoir en grande pompe et comme ils le méritaient, afin de venger une injure si atroce.

« Je les laisse là, attendant ces messieurs de l'haguilleneuf; ils ressemblent à Guillot qui, caché derrière un buisson, le soir, guette Marion : elle vient chercher ses vaches, et il se demande si elle lui refusera ce pour quoi il l'a souvent importunée.

« Ils n'eurent pas longtemps à attendre les Vindellois; ils les entendirent qui s'en venaient, bien chargés de paquets et de sacs, se moquant à forte voix, surtout de Mistoudin et de ce qu'il avait reçu pour l'haguilleneuf. Ils en louaient fort maître Pierre et lui en donnaient sans réserve tout l'honneur. Ce dernier en tirait gloire et, se frottant le bout du nez, faisait de beaux mensonges : il en avait vu bien d'autres, et un peu d'une autre étoffe! Quand il était à Breudebach, ville d'Utopie [12], il faisait bien des fredaines! On racontait pourtant au pays que la vieille Janeton lui avait donné une gifle; mais, disait-il, elle l'avait eu par traîtrise; et bien lui en avait pris d'être une femme, sinon il l'eût écorchée!

« Quand ils furent près de l'étang, maître Pierre, prié par certains de leur faire l'honneur d'une démonstration de son épée, commença à montrer quelques coups d'escrime, tous mortels :

126

" Ce coup faussement montant est dangereux avec une esquive soudaine, ou bien, d'entrée, un estoc à toute volée; ou encore, si vous voulez, avec un coup de basse taille. Ni un fendant ni un revers ne sauraient jamais vous toucher car vous êtes ainsi toujours protégé. Voilà un coup qui ne pardonne pas! Voilà le secret du jeu : tenez seulement ainsi votre épée, en disant : " Je ne vous demande rien "; vous n'êtes pas en danger. Vous pourriez me dire que je fausse mon serment : point, point! Je ne dis pas tout; il y a encore dans ce bras-là une douzaine de coups dont le moindre mettra toujours un homme à terre, fût-il armé de pied en cap! Voilà, disait-il, la levée du bouclier à l'aide d'une épée simple ou d'une épée baise-mon-cul-à-deux-mains [13]; voilà le moulinet que l'on a l'habitude de faire, et ainsi de suite... "

« Maître Pierre, parvenu au bout de son savoir, cessa son jeu et, s'engageant le premier sur la planche, déclara qu'il ne fallait pas se hâter et que le lieu était dangereux : maudit soit celui qui devait le réparer!

« A la fin, quand ils furent tous passés en s'aidant les uns les autres, Brelin, qui s'était caché, ne manqua pas de jouer son rôle; après avoir enlevé le carreau qui servait de passerelle, il se remit à sa place pour voir le divertissement; bien qu'il fût grandement fâché de l'outrage fait à son frère, il riait si fort que peu s'en fallut qu'il ne fût entendu de la partie adverse.

« Mistoudin, l'offensé, trouvant le moment convenable, commence à se dresser peu à peu. Il se déploie comme il faut en claquant des dents à cause du froid : cela donnait à la farce un prodigieux éclat, d'autant que ces messieurs pouvaient facilement l'apercevoir.

« Maître Pierre était le premier ; il sursauta en tombant sur ce fantôme ; et de la peur qu'il en eut, laissa tomber son épée pour prendre le large ; les autres, à qui mieux mieux, firent de même, criant à l'aide et des *adverbia localia* * ; pour mieux courir, ils abandonnèrent tambourin, broches, poches, lard, pièces de bœuf salé, jambons, oreilles, pieds, andouilles et saucisses. Ceux qui étaient auparavant les plus hardis, comme maître Pierre, furent les premiers à tomber dans la fosse ci-dessus mentionnée, où, par chance, il y avait peu d'eau : autrement, ils étaient perdus. Aucun n'en ressortit avant d'avoir fait amende honorable [14] et avoir eu tout son compte.

« Pendant ce temps, Mistoudin et Brelin, riant assez bas, ramassaient leur butin. Ils s'en allèrent chez eux, vengés et enrichis par la quête de leurs adversaires. Les pauvres haguilleneufs, assurés d'être morts, furent trois ou quatre heures sans

* Et autres adverbes de lieu.

oser bouger. Sur le point du jour toutefois, un peu rassurés, ils commencèrent à sortir, mettant d'abord le bout du nez et regardant s'ils ne voyaient rien; puis, peu à peu, deçà delà, ils scrutèrent les abords du chemin.

« Il me souvient avoir vu un fugitif caché et recherché par une douzaine de sergents; lorsqu'ils sont partis, on vient lui dire : " Monsieur, les clients s'en vont. " Toutefois, comme il n'est pas encore revenu de la peur éprouvée, il n'ose montrer d'abord que la tête, et regarde si ce n'est pas une ruse.

« De cette défaite, on fit une chanson en sept couplets que l'on chantait fort mélodieusement près du feu, à la grande confusion des Vindellois. Le dimanche suivant, ceux-ci firent un monitoire [15] contre ceux ou celles qui auraient pris certaines poches et autres bagages semblables.

« Pour la même raison et dans le même but, Mistoudin en fit un contre ceux qui l'avaient battu. On leur donna acte de tout cela et ils plaidèrent longtemps à ce sujet; mais, par manque de suite, le procès est encore indécis et pendant : il sera, à mon avis, vidé aux Grands Jours de Riom [16].

« Voilà ce que je voulais dire concernant les querelles des Vindellois; si vous en savez davantage, dites-le, car je ne sais rien d'autre.

— Sur mon Dieu, dit alors Pasquier, voilà une bonne petite vengeance, et spirituelle! Ah! j'ose bien dire que les gens de Flameaux et de Vindelles ne seront jamais amis; ils se feront toujours entre eux quelque fredaine; et il y a toujours quelque procès entre eux. Ne voyez-vous pas encore aujourd'hui Guillot le Bridé et Philippot l'Enfumé en grand débat? Je les écoutais avant-hier : c'est un triomphe!

– Je vous en prie, s'écria Lubin, contez-nous toute l'histoire, car ce sont de fortes têtes.

– Ma foi, lui répondit Pasquier, vous n'essuyerez pas de refus, compère. Vous avez bien connu le père de Philippot?

– Oui-da, dit Lubin, un homme tout à fait considérable et sage.

– Par ma foi! ajouta Pasquier, il avait un autre fils, frère de Philippot, âgé de quatre-vingts ans ou plus. Lorsqu'il le vit mort, sans en montrer la moindre émotion, il s'écria : " Je le disais bien toujours que ce garçon ne vivrait pas longtemps! "

– Cela est hors de propos, venez-en au fait », lança Lubin.

Pasquier lui répondit qu'il y consentait et en avait grande hâte.

« Ho! fit Lubin, j'en saurai plus de Philippot lui-même pour rien que de vous pour un liard!

– Écoutez donc, dit Pasquier, et pardonnez-moi; il fallait en effet donner ce petit détail. Vous ne mangerez jamais rien froid : vous êtes beaucoup trop pressé! »

XI

QUERELLES ENTRE GUILLOT LE BRIDÉ ET PHILIPPOT L'ENFUMÉ

« Du village de Vindelles, Guillot le Bridé fut choisi pour être franc-archer [1], tant à cause de son courage – surtout devant un plat – que pour sa taille, car c'eût été un beau mâtin, s'il avait voulu mordre. Je crois aussi qu'il était gentilhomme à cause d'un pré que son père vendit; il portait sur ses armes une écuelle de choux billetée [2] de lard.

« Un jour que les Canariens [3] faisaient mine d'envahir le pays, cet honorable et distingué Guillot était dans sa garnison (où il n'accomplit pas de grands exploits et ne servit qu'à faire nombre); or il s'avisa que si le décours de la lune passait, il tarderait trop à planter ses poireaux et que ses intérêts en souffriraient.

« Pour obvier à tous les inconvénients qui en eussent pu venir, sans prendre congé de son capitaine, il alla faire sa besogne et payer à sa femme quelques arrérages [4] qu'il lui devait; il ne voulait pour rien au monde se laisser envoyer un protêt [5] : il les eût payés au double, intérêt et tout, à moins qu'il n'eût voulu être battu.

« Après avoir achevé sa tâche – qu'il connaissait, à l'en croire, aussi bien qu'un autre –, il retourna à sa garnison, ses souliers pendant fort élégamment à sa ceinture – où se trouvait aussi sa rapière –, joliment chapeauté à la mode. Une fois arrivé, il conta si bien les raisons de son absence à son capitaine Tireavant, et de si bonne grâce – car l'homme de bien était gracieux – qu'il fut tenu pour quitte et déclaré absous.

« Or, voici le sujet de la querelle : Philippot l'Enfumé, lui aussi franc-archer, mais de Flameaux, voyant que Guillot était quitte et qu'il n'avait pas payé d'amende, s'y opposa avec force et fermeté. Plein de colère, il disait dans sa réclamation que pour une même raison, et tout aussi fondée, il s'en irait achever la sole de son four ou tailler sa vigne, attendu qu'il avait autant de privilèges que Guillot et qu'il ne se sentait en rien inférieur à lui. Il s'était en effet aussi bien comporté que lui – sinon mieux –, selon les règles de la noblesse et selon l'assise du comte Geoffroy [6]; il concluait comme il avait commencé. S'il avait tort, il voulait payer un bon coup à toute la compagnie; à tout cela, il demandait réponse, quitte à passer sous silence le reste de ses griefs.

« Guillot ne dit pas un mot, sauf : " Bien. "
Puis il détacha une de ses aiguillettes et en donna
un bout à Philippot.

" Tu m'entends ? lui dit-il.

– Oui vraiment, je t'entends bien et t'assure
que je ne te crains pas ", répondit Philippot.

« Voici un point difficile que je ne peux pas
laisser en suspens. Couper l'aiguillette, comme le
disent les maîtres, est une manière de lancer un
défi ou un cartel, qui se pratiquait autrefois. On
coupait une aiguillette en deux parties égales, et
tant qu'on ne l'avait pas renouée – signe que la
colère persistait –, on se combattait partout où
l'on se rencontrait, sans autres préliminaires ou
explications. Il n'était permis de la couper
que pour des causes nobles, justes et esti-
mables :

– pour n'avoir, par exemple, pas payé son écot
et s'être enfui sans dire un mot à l'hôte, en
faisant semblant d'aller pisser;

– pour n'avoir pas porté un toast à quelqu'un
qui avait bu à votre santé;

– pour s'être amusé à fausser compagnie en
disant : " Attendez-moi ici; je reviendrai bientôt
à coup sûr et sans faute."

– pour avoir donné un coup de langue contre
quelqu'un, puis pour être venu le voir la bouche
en cœur;

– pour avoir dîné sans son compagnon, avant

que celui-ci ait d'abord été appelé trois fois sous la table;

– pour être entré dans une taverne sans avoir embrassé la chambrière, ce qui est l'attitude d'un rustre : c'était là la seule raison!

– pour avoir parlé devant l'hôtesse du " vieux jeu ", de " l'incarnation " ou de " l'ancien métier ", sans qu'elle eût compris.

« Pour tous ces cas se créa cette coutume que tout le monde connaissait sous le nom d'incision, division, coupe ou coupation de l'aiguillette.

« Pour en revenir à nos moutons, quelque temps après, à leur retour de garnison, ils se faisaient toujours grise mine, surtout Philippot. Celui-ci, ayant pris les porcs de son vieil ennemi Guillot qui mangeaient ses navets dans son jardin, ne voulut jamais les brutaliser ou les maltraiter plus que les siens; il les soigna au contraire comme il convient de le faire de bêtes d'une telle importance.

« Comme Guillot lui avait envoyé son fils aîné Tredouille pour le remercier des bons et honnêtes procédés dont il avait usé à l'égard de ses porcs – il lui en était fort obligé –, il répondit :

" Ce que j'en ai fait n'a pas pour but de rechercher l'amitié de ton père; mais mon naturel ne consiste pas – j'en remercie Dieu – à me venger sur une bête, car je sais bien que cela ne vient que de ton père, qui a le premier ouvert le débat entre nous. Du reste, assure-le de ma part — ce qu'il sait bien toutefois — d'une éternelle inimitié.

"Qu'avait-il besoin de rompre ma haie pour me prendre mes choux à la dérobée, le voleur, et de nier me devoir un onzain que j'avançai pour lui à un charron qui tous les jours menace de m'assigner en justice? De plus, ses porcs sont continuellement sous mes poiriers, et mes intérêts en sont fort lésés. Et qu'il ne prétende pas que mes champs sont mal clos! Je suis sans doute le premier à veiller à bien les fermer et les enclore. Mais que faire contre un voleur?

— Ah! dit alors Tredouille, j'ai entendu dire à mon père que vous lui prîtes une bécasse dans un collet qu'il avait tendu près de la rivière, dans le pré de Caillette. Ne vous en souvient-il pas? Il faudrait donc...

— Hein? Hue dia! dit Philippot. Debout! Et que je ne vous revoie jamais!

— Oui, mais..., contestait Tredouille, qui était aussi mauvais qu'un oison. Si les étrilles et les conclusions...

— Bouh, bouh! Vertu de ma vie! fit Philippot. Par la dague de saint Chose! Faut-il que Martin-bâton trotte? Qu'est-ce à dire? Je ne serai donc jamais le maître dans ma maison, Alison? Crois bien que je m'en souviendrai, fût-ce dans cent ans d'ici! Et dis à ton père que, baste! il payera tout d'un coup! A qui pense-t-il avoir affaire ? Ce sont des bêtises que cela, Tudieu ! "

— Vraiment, s'écria Anselme, voilà de fort belles querelles, et bien fondées!

— Je vous dirai, répondit maître Huguet, qu'il est difficile et quasi impossible que des voisins n'aient pas quelque différend; je le sais bien pour moi! Il y a des gens avec lesquels vous ne pourriez lier amitié, tant ils sont pleins de mauvaise volonté; je ne connais pas, dans ce pays, d'honnête homme qui puisse s'y faire.

— Par mon fétu, lança Lubin, c'est vrai! Toutefois, Perrot Claquedent, que vous avez tous connu, le faisait fort bien : il vous aurait été difficile d'entendre dire un jour qu'il s'était pris de querelle avec un de ses voisins; il était même d'ordinaire appelé par les nobles pour leur donner conseil; il s'y entendait fort et y gagna tout son bien.

— Vous en parlez le mieux du monde, fit Pasquier, mais c'est un entre cent : car tout le monde ne peut avoir des couilles d'acier.

— J'ai souvent entendu parler de ce Perrot comme d'un personnage fort répandu, reprit Anselme. Il parlait beaucoup à ces gentilshommes avec lesquels il se trouvait fort bien; quels que soient surtout les banquets qui se fussent faits — s'il en avait senti le fumet —, il se serait bien gardé d'en perdre sa part!

– Si vous trouvez bon que je raconte ce que je lui ai vu faire autrefois, je tâcherai de m'en acquitter. »

Tout le monde l'en pria alors, en disant qu'il ne fallait pas ainsi demander de permission pour une chose qu'il pouvait faire sans commandement.

XII

DE PERROT CLAQUEDENT

« Grand merci! reprit Anselme. Il n'y a personne qui ne sache que Perrot fut un bon paysan; il avait le cœur et la cervelle tendres et ne se souciait pas de savoir qui payait, pourvu qu'il bût! Mais il y avait en lui un défaut, car nous sommes tous imparfaits : bien qu'il fût de grand conseil pour les affaires des autres, il était aveugle quand il s'agissait des siennes, abêti et sans aucun esprit. Il est facile, en effet, de faire la leçon, me semble-t-il, même si celui qui en remontre n'est pas capable d'agir.

« Perrot, quant à lui, régnait dans son coin comme un petit demi-dieu et un vrai coq de paroisse. Il régnait, dis-je, à cause de sa grande diligence dans les affaires d'autrui. Aussi chacun accourait-il vers lui, en raison de sa sagesse et de son savoir. Pour rien au monde un procès ne se fût intenté sans qu'il n'y eût mis d'abord la main, n'eût arrêté son opinion et, les lunettes posées sur le nez pour améliorer un peu sa vue, analysé les problèmes.

« Il avait pour récompense la primeur de tous les produits du pays, des oisons ou des poulets, peu lui importait : il prenait tout indifféremment et sans beaucoup d'égards. Il refusait un peu cependant, disant, à la mode des avocats, que la bonne volonté lui suffisait mais... puisqu'on insistait tant, il n'y avait rien à faire !

« Il y avait aussi cela de bon que, quelque banquet qui se fît, il s'y trouvait, même sans y être invité; dès l'entrée de la maison, il commençait à rire et à saluer la compagnie :

" Que Dieu soit dans cette maison et les moines chez le Diable! Voilà une belle compagnie! Dieu veuille que dans cent ans d'ici nous puissions encore tous nous prendre à la gorge! "

« Après qu'il avait enlevé sa robe et l'avait mise sur un coffre, il se mettait à table; et, quelque dégourdi qui y fût assis, aucun n'était aussi adroit que lui et n'y tenait mieux son rang; il était toujours à conter quelque fable, quelque fait inouï, quelque nouvelle fraîche qu'il inventait sur-le-champ, ou quelque procès qu'il intentait immédiatement et menait si bien à travers divers incidents qu'il s'en tirait à son honneur. Puis il s'écriait :

" Donnez-moi de ça! Prêtez-moi ce couteau! Donnez-moi du vin à boire! N'ôtez pas ça; servez sans desservir! Que Dieu pardonne à un tel, voilà le morceau qu'il mangeait le plus volontiers! De tous les poissons, excepté la tanche, prenez les ailes d'un chapon, bien que certains savants disent de prendre la cuisse d'une garce [1]! Voilà le morceau pour lequel la bonne femme tua son mouton! Ce morceau honteux restera-t-il? Ma Dame, puisque vous ne dormez pas assez, voulez-vous de ce pied de poule? Oh! le beau bœuf, il doit être de Carhaix, à mon avis! Donnez-moi ce pigeon, je le trousserai à la mode! Encore une goutte de ce vinaigre, ma fille! Ah! diable, vos chambrières vous l'ont gâté : quelle mauvaise tête vous avez, ma Dame! Un saupiquet par-dessous ne serait pas mauvais. Qui mettrait encore ceci à la broche? Ha, ha! gentil levraut, sois le bienvenu! Ma foi, il n'est qu'à moitié cuit : donnez, je le mettrai à la mode de feu la reine Gillette [2]. Comment, monsieur! ceci restera-t-il? Je le crois bien, les premiers morceaux causent du tort aux suivants. Tiens, mon fils, mets ça sur le gril, et je te marierai à ma fille aînée, si Dieu m'aide! Donne-moi ensuite à boire de ce flacon. Grand merci, monsieur! je boirai à votre santé! Mets comme pour toi! Je vous servirai le jour de vos noces! Tenez, mon petit ami, ne mentez donc point : combien mangeriez-vous de ceci avant que les oreilles ne vous en tombent? Ceci ne se fût pas sauvé devant moi, il y a quinze ans! Oh! le bon appétit! voyez comme il bâfre! Si on lui attachait des sonnettes au menton... vertu saint Gris! Avait-il mangé son saoul de glands, le gaillard? Je n'ai plus de dent qui vaille! Il y en a qui ne mangent pas entre les repas, ou qui mangent plus le matin que le soir : moi, je mange à toute heure, et m'en trouve bien! Faisons comme les sergents, relevons l'appel... de la mangeaille! Je ne donnerais pas une merde de ce que nous mangeons, si nous ne buvons pas. Otez cette eau : le vin est assez fort sans elle : le matin tout pur, le soir, sans eau! Pour le fou, du fromage! Mon ami, enlève cette serviette! Donnez une serviette à un paysan, il en fera des étrivières! J'ai peur d'oublier mon couteau, donne-moi à boire! Je suis repu; j'ai le ventre tendu comme un tambourin à cordes; je danserais bien une ronde! Mangez! Vous ne buvez pas? Après avoir fait un bon repas, il faut devenir chiche! Merde! si mes enfants sont gens de bien, ils vivront! Qui coupe son vin en est pour ses frais! Du vin! ou j'en réclamerai. Après la poire, il faut boire! Si femme savait ce que vaut la pomme, elle n'en donnerait jamais à l'homme. Or ça! compère, à cause de lui, pour l'amour d'elle! Là, ma cousine, si j'ai bu à la santé de ma commère, ma commère a bu à la mienne! Là, vous ne mourrez pas pour un coup à la Bretonne [3]! Je ne m'en irai pas d'ici avec la soif! "

142

– Compère Anselme, dit maître Huguet, je vous en prie, soyez bref et faites court; je veux, avant que la nuit soit plus avancée, vous en raconter une bien bonne, le tout pour ajouter aux propos sur la sagesse des anciens.

– Par mon serment! reprit Pasquier, je parlerais volontiers davantage de Perrot, et bien à propos; mais, comme la nuit approche et que nous en avons dit des vertes et des mûres, je suis prêt à abandonner la partie et à vous laisser le temps que j'avais compté employer au reste de mon propos, pour votre dernier conte. »

Lubin voulut alors se lever; il était las, et à peine pouvait-il s'en aller que sa femme l'attendait déjà impatiemment; aussi envoya-t-il chercher sa jument noire et demeura-t-il encore un peu pour entendre maître Huguet qui commença :

XIII

DE GOBEMOUCHE

« Gobemouche était – vous l'avez connu ainsi, mes compagnons et amis – un terrible viveur et un bon paysan; il payait volontiers à boire une pinte ou le pot tout entier quand il n'était pas d'humeur trop rustaude. Quelquefois, n'ayant rien à faire avec son compagnon Traînefournille, il émettait de beaux et profitables souhaits; entre autres, pour être bref, si l'on faisait de lui un important seigneur, il mènerait ses bœufs à cheval, ou bien garderait ses moutons et ses vaches du haut de son cheval; s'il y avait dans le pays quelque beau manche de fouet ou quelque beau morceau de cormier pour faire un manche de cognée, il les aurait, ou en serait bien de sa poche.

" Par ma vie, lui répondait de même son compère Traînefournille, c'est très bien souhaité de votre part; ne pensez pas, non, que je veuille attacher de la valeur à mes souhaits, car le plus souvent, j'ai idée que je suis un grand seigneur : dans cette idée, je bâtis mille belles maisons, et à la fin, je me trouve aussi avancé qu'avant!

— Bouh! bouh! disait Gobemouche. Je ne me soucierais guère d'aussi beaux profits que ceux de ces gros et puissants gentilshommes; il me suffirait de manger de ce beau lard jaune, à seule fin que les chiens me regardent; soyez bien sûr que je mangerais tout mon saoul de fèves et de pois, si le quart n'en coûtait pas plus d'un onzain; j'en ferais autant de ces belles andouilles, ainsi que de poireaux; je ne ressemble en rien à ceux qui aiment mieux deux chiens qu'un porc, et de très loin! "

« Cet honnête et distingué Gobemouche s'avisa un matin, tout en couplant ses bœufs pour passer la charrue près du moulin à vent, d'envoyer son fils Guillaume — attendu qu'il en était digne — à l'école, sous la direction de maître Bajaret.

— Nous avons, dit Anselme, maintes fois discuté de grec ensemble.

— Je le crois tout à fait, répondit maître Huguet, car il était très savant, comme me l'affirma Haudulphi [1], un jour que je le trouvai pêchant à la ligne.

« Il l'y envoya parce que sa mère le pourrissait à lui apprendre mille sottes façons de parler, fort étranges de surcroît : il ne faut pas pisser contre le vent; parler de chat la nuit; couper ses ongles

146

le dimanche car le Diable en allonge les siens; filer le samedi; étudier les jours chômés – mais il est permis d'y jouer aux quilles et à cornichon va devant [2]. Pour guérir des verrues, il faut toucher la robe d'un cocu (c'est celui dont on baise la femme – à quelque chose malheur est bon!); pour la fièvre, il faut prendre neuf petites pierres et les envelopper dans un mouchoir : le premier qui les trouvera aura la fièvre; les noces faites, il faut rester huit jours sans toucher sa femme, et encore avec des excuses; qui veut être marié dans l'année, prendra le premier papillon qu'il verra; qui veut gagner le Pré Raoul de Rennes ou le pourceau de Bléron [3] ne doit pas se repentir dans l'année d'avoir été marié; il faut garder les souliers dans lesquels on a épousé, cela sert pour avoir un bon ménage; on peut en dire autant des treize deniers [4] dont sont achetées les femmes.

« Guillaume, ayant désappris toutes ces petites expressions sous l'influence de maître Bajaret, fut rappelé par son père pour justifier l'emploi de son temps et de l'argent. Le messager fut Grand Jean Le Ferrier, un joyeux buveur et un bon compagnon, auquel Guillaume en contait de toutes les couleurs et comme il l'entendait, le tout avec sincérité et de bonne foi :

" Morbieu! disait-il, qu'ils seront ébahis de me voir maintenant! Je suis sûr qu'ils ne me reconnaîtront pas, car je n'étais pas un tel gaillard quand je partis.

— Je n'en doute pas, répondait Grand Jean, vu la coutume du pays et vu que vous êtes un homme habile et un bon clerc.

— *Per diem!* * ajoutait Guillaume, je ne le dis pas pour me vanter... car vanterie, dit l'autre... Mais quand il sera question d'argumenter... Je ne dis mot et je gage qu'on verra une belle partie. Demandez un peu à... Mais vous ne le connaissez pas! A propos, pourtant, nous avons fait de bons petits tours ensemble... ma foi — mais je vous prie de n'en rien dire — nous avons, un après-midi, dérobé, lui, un autre bon garçon et moi, une douzaine de châtaignes à notre hôtesse pendant qu'elle était à la messe; nous sommes allés les manger au pré Fischault [5], au soleil; puis, chacun prend sa bourse pour avoir des pommes pour un liard et du vin pour un double; je vous en réponds, nous avons tous été ivres, et n'eût été je ne sais quoi — vous m'entendez — nous eussions querellé des lavandières qui se trouvaient là. Voilà mon ami, comment font les garçons quand ils se trouvent ensemble; et, après bons vins, bons chevaux!

— Je m'étonne, disait Grand Jean, qui ne cherchait qu'à s'en défaire parce qu'il lui rompait

---

* « Par le jour », expression qui évite le blasphème.

la tête, que vous ne vous hâtiez pas, car tout le pays vous attend.

— Je crois que vous dites vrai, répondit Guillaume; il vaut mieux que je fasse diligence. Adieu donc, Grand Jean!

— Adieu, Guillaume! "

« Celui-ci hâta le pas et commença à courir comme le voyageur qui, surpris par la pluie au milieu d'une plaine, voyant au bout un large chêne, peut-être creux, ne cesse de courir, le chapeau attaché, le bâton branlant çà et là à cause du mouvement continuel, jusqu'à ce qu'il ait atteint le but désiré. Guillaume ne cessa pas non plus de courir jusqu'à ce qu'il fût hors d'haleine et tirât la langue d'un demi-pied. A son arrivée, il trouva son père Gobemouche qui emmanchait une faucille. Celui-ci lui dit en sursautant :

" C'est donc toi, Guillaume? Et la santé?

— Toujours plus sain que sage! " lui répondit notre joyeux Guillaume.

« Peu après, il salua avec grâce tous les gens du village, surtout Tugal Le Court, qui lui avait fait des chausses deux ans auparavant et lui avait attaché la braguette dans le dos, si bien qu'il le haïssait mortellement; aussi aurais-je pensé qu'il n'aurait pas daigné le saluer; il le fit pourtant.

« Il fut ensuite, pour obéir à sa mère, interrogé par dom Silvestre Sortes [6] et fut trouvé bon lettré confirmé et bon petit philosophe. Il soutint donc ses thèses à tout venant, sous l'if de la paroisse; comme il parlait haut, on jugea – surtout sa mère et sa cousine – qu'il les avait tous mis sur le cul et leur avait fait la nique... à tel point que l'on parlait de lui jusqu'à Bécherel [7], à son très grand avantage.

– Il est temps, dit Lubin, de mettre fin à nos propos. Pour ma part, je vais me retirer et prendre congé de vos bonnes grâces jusqu'à une autre fois, en vous remerciant de votre bonne compagnie. »

Voyant cela, tout le reste se retira, chacun dans sa chacunière. Ils remirent la suite au prochain jour chômé, et montèrent sur leurs juments, qu'on leur avait amenées. Mais, avant de partir, maître Huguet, déjà à cheval, se tourna vers les jeunes gens qui commençaient à s'en aller et leur dit :

« Enfants, tant que l'homme sage possède la vie, il ne doit pas s'émouvoir. Aussi, servez Dieu et craignez-le : ne vous souciez pas du reste. C'est peu de chose que les biens et semblables objets de fortune auxquels nous nous fions. Faites donc bombance, mes petits enfants! Riez, jasez, voltigez, raillez, buvez d'autant, courtisez les dames, triomphez, bondissez, dansez, gambadez, poussez le dé, tournez la carte, faites des tours, faites des courbettes! Long ce revers [8]! Haut le verre!

Couvrez-vous où il faut! Entrez d'une pointe avec trois pas en arrière, et ne vous souciez que d'écrire, si vous vous en avisez toutefois! Mais assez! Partez vite, et faites ce que je vous dis : vous vous en trouverez bien. Allez, mes enfants, que Dieu vous accompagne! Adieu donc, puisque vous ne voulez pas boire. Je me recommande à vous.

– Et moi, à vous!

– Je vous prie, un tel, de m'envoyer un cent de lattes pour occuper mes couvreurs, le matin, en attendant qu'il en soit venu de Montfort[9].

– Je le ferai, et sans faute.

– Adieu donc.

– Écoutez!

– Allez, allez!

– Ne vouliez-vous pas parler pourtant?

– Nenni.

– Non. »

Puisqu'il en est ainsi.

NOTES

ÉPÎTRE AU LECTEUR

1. Terme qui dérive de l'adj. latin *villanus* (qui se rapporte à la campagne); très vite, cependant, une fausse étymologie l'a rattaché à un autre adj., *vilis* (bas, vil, méprisable) : toute cette épître joue sur ces deux valeurs du mot vilain.

2. Allusion à Samson, qui frappa mille Philistins d'une mâchoire d'âne fraîche (*Juges* XV, 15-17).

3. Jeu dans lequel les participants, séparés en deux équipes, se poursuivaient dans l'intervalle laissé entre les deux camps; y était considéré comme prisonnier le joueur touché par un adversaire qui avait quitté son camp après lui.

4. Monnaie d'or qui eut cours depuis Saint-Louis jusqu'à Charles VII, ainsi nommée parce qu'elle portait la figure de l'*Agnus Dei*; les plus grosses de ces pièces étaient dites « moutons à grande laine » pour les distinguer des moindres, qui dataient du règne de Jean Le Bon (XIVᵉ siècle).

I

1. Personnage symbolique, dont on donne le nom aux personnes gaies et insouciantes.

2. *Le Compot et Kalendrier des bergers,* publié dès 1493 et souvent réimprimé, est l'ancêtre des almanachs de nos campa-

gnes. Une traduction française des *Fables* d'Ésope avait été éditée dès 1484; quant au *Roman de la rose*, il est imprimé vers 1485.

II

1. Village du canton de Pipriac, arrondissement de Redon (I.-&-V.); c'était autrefois une seigneurie importante, dont les marchés étaient très suivis.

2. Nom d'une foire sise à Dinan et connue dans toute la Bretagne; elle commençait le jeudi de la deuxième semaine de Carême et durait huit jours. Une semaine plus tard débutait une deuxième foire, de même durée, nommée, elle, foire du Deliège.

3. Déformation populaire de Bobital, nom d'une localité voisine de Dinan, jadis chef-lieu d'un doyenné et siège d'une petite juridiction ecclésiastique que du Fail raille ici. Notons que les termes « bobia » et « bobita » servent en Haute-Bretagne à désigner les nigauds et les imbéciles.

III

1. Fruits des Indes, gros comme une prune, et d'une grande rareté au XVIe siècle.

2. Sans doute Vaugon, en raison d'une confusion courante à la lecture entre *n* et *u*. Le pont et la commune de Vangon se trouvent dans la commune de Vern-sur-Seiche (canton S.-E., arr. de Rennes).

3. Ramasser le fuseau d'une fileuse ou le tenir était une manière rustique de faire sa cour et d'obtenir un baiser.

4. Selon La Borderie, il ne s'agit pas du bourg de Vendel (canton de Saint-Aubin-du-Cormier; arr. de Fougères), mais d'un pseudonyme désignant Clayes (canton et arr. de Montfort).

154

IV

1. Maître Alcofribas Nasier, voyageant dans le gosier de Pantagruel, y découvre « Laryngues et Pharingues, qui sont deux grosses villes telles comme Rouen et Nantes, riches et bien marchandes ». (*Pantagruel,* XXII).

2. Les braies ressemblaient à nos pantalons, et couvraient à la fois le ventre, les cuisses et les jambes. Les hauts-de-chausses s'arrêtaient au genou.

3. Sans doute Plessis-de-Vern, village limitrophe de celui de Chantepie, tous deux situés dans le canton S.-E. et dans l'arr. de Rennes.

V

1. Célèbre auteur de farces, d'origine rouennaise, qui vécut aux environs de 1530.

2. Expression peu claire, que l'on trouvait déjà chez Rabelais (*Pantagruel,* IX bis) : « Jehan Le Veau, son cousin gervays remué d'une busche de moulle, luy conseilla... »; le jeu de mots obscène est ici renforcé.

3. Noyal-sur-Seiche.

4. Ce saint burlesque ne tire son nom que du diminutif du terme désignant vulgairement le sexe féminin.

5. Un des hauts lieux de la topographie rabelaisienne, où se déroule la guerre picrocholine (*Gargantua,* XXXVI-XXXVII).

VI

1. Chaussures à longue pointe, d'origine polonaise.

2. La campagne du Luxembourg fut conduite en 1544 par Charles de Valois, fils de François Ier.

3. Dans les anciens mystères, on nommait « grande diablerie à quatre personnages » la pièce où il y avait quatre diables, et « petite diablerie » celle où il n'y en avait que deux.

4. Jobelin était le précepteur de Gargantua; il est ici bridé comme un oison prêt à cuire; l'expression signifie sot, niais.

5. Expression métaphorique qui peut désigner l'argent. Dans les traditions populaires bretonnes, la graine de fougère est douée de nombreux pouvoirs.

VII

1. Située à 16 km au sud-est de Rennes, cette ville était autrefois une seigneurie importante, qui avait ses mesures particulières. Sa mesure à grain était l'une des plus grandes du pays rennais : le boisseau de Châteaugiron mesurait 51,95 litres, celui de Vitré 34,48 litres et celui de Rennes 25,15 litres seulement.

2. Calculs qui permettent de dresser le calendrier des fêtes mobiles.

3. Expression juridique, désignant en Bretagne celui qui, dans une famille noble, succédait à titre d'aîné et emportait, quel que fût le nombre des cohéritiers, les deux-tiers de l'héritage. Appliquée à Tailleboudin, elle devient une plaisanterie.

VIII

1. Une des foires les plus considérables de France. Elle se tenait à Saint-Denis, depuis la Saint-Barnabé (11 juin) jusqu'à la Saint-Jean (24 juin); elle avait pour origine la fête qui avait marqué la translation des reliques de la Passion depuis Aix-la-Chapelle par Charles le Chauve (IXe siècle).

2. Nom donné aux portefaix (souvent mauvais garçons), à cause de leurs crochets, qui font songer à des ailes.

156

3. Ce personnage, issu, semble-t-il, d'une bonne famille angevine, avait été prince ou capitaine des Gueux au début du XVIe siècle.

4. Nom vulgaire de l'épilepsie.

5. La livre tournois valait vingt sous; les cent livres ici évoquées seraient versées nettes et comptant, l'entretien de la barbe et des souliers du bénéficiaire étant à la charge de celui qui verse la rente.

6. Lieux de pèlerinage; le mal de saint Méen désignait la gale; on vouait les fous à saint Mathurin, et il existait à Bois-Briant, près de Châteaubriant, une fontaine dont l'eau guérissait les maux de tête.

7. La mutilation des oreilles était la punition des coupeurs de bourses.

8. Les autres éditions donnent « Huleu »; mais « Hurleu » ou « Huleu » désigne une maison close.

IX

1. Pour Vindelles, voir la note 4 du ch. III. Flameaux désigne la partie Nord-Ouest de la paroisse de Saint-Gilles (aujourd'hui commune du canton de Mordelles, arrondissement de Rennes), qui est limitrophe de Clayes et renferme, entre autres, les villages de Huchepoche et de l'Archerie.

2. Ce terme désigne à la fois le tir à l'arc, la réunion des tireurs et le lieu où se déroule cet exercice. A l'époque de La Borderie (1878), il existait un village de l'Archerie sur la paroisse de Saint-Gilles, à la limite de Saint-Gilles et de Pleumelec.

3. Voir la note 5 du ch. V.

4. Lance dont la lame est tranchante et asymétrique.

5. Sorte de hallebarde à fer long, large et tranchant. La bataille de Montlhéry s'était déroulée le 15 juillet 1465, entre Louis XI et Charles le Téméraire, dont les Bretons étaient les alliés.

6. Cette expression « Aguilanneuf » ou « au gui l'an neuf » est en fait la déformation d'un cri, « Eginane », du celte « Egin » (germe), que l'on retrouve dans diverses régions comme l'Écosse (« Hogmanay ») ou l'Espagne (« Aguinaldo »).

Le lendemain de Noël ou la nuit du 31 décembre, des quêteurs parcouraient en bandes la campagne. Ils s'arrêtaient devant les maisons pour réclamer des étrennes, en engageant avec les habitants une joute oratoire ponctuée du cri « Eginane! Eginane! » Ils obtenaient ainsi un morceau de lard et de la boisson. Ce rite donnait souvent lieu – comme ici – à des débordements de violence et fut interdit dès le XVIIᵉ siècle. Voir à ce sujet l'étude de Fanch Postic et Donatien Laurent (*Ar Men*, nᵒ 1, mai 1986, p. 42-56) où sont données plusieurs versions de ce chant, dont celle transcrite par La Villemarqué dans le *Barzaz Breiz*.

X

1. Culottes d'origine italienne, dont le pont, « qui est un pont-levis de cul pour plus aisément fianter » (Rabelais, *Gargantua*, XX) s'abaissait par-derrière.

2. Culottes fendues en haut des fesses, qui dégageaient les reins (voir Rabelais, *ibid.*).

3. Pour les poulaines, voir note 1, ch. VI; le chapeau est celui porté par les cavaliers albanais, de forme conique.

4. Villages des environs de Rennes : Bas-Champ en Parthenay; Trémerel, sur la limite communale de Clayes et de Pleumelec; Huchepoche ou Huspoche en Saint-Gilles; Tellé étant un lieu-dit en Saint-Herblon.

5. Monnaie qui valait onze deniers.

6. Grosse arbalète montée sur affût, qu'on bandait à l'aide d'un treuil manié par un ou plusieurs hommes.

7. Incipit du répons « Tu autem Domine, miserere nobis... » qui marque la fin de chaque leçon liturgique; l'expression signifie faire l'essentiel, jouer le rôle principal.

8. Hameau de la commune de Noyal-sur-Seiche.

9. Pour le gué de Vède, voir note 5 du ch. V. Bellouse est introuvable dans la région de La Hérissaye, comme dans celle de Château-Létard; en revanche, le terme belouse désigne au XVIᵉ siècle le sexe de la femme ou « temple de Vénus »; on trouve aussi une expression gasconne : « se bélouser », qui

signifie se jeter dans un embarras imprévu ou être dupé lorsqu'on pensait duper quelqu'un.

10. Au XIXᵉ siècle encore, on décelait le bassin asséché de cet étang; la chaussée qui le traversait permettait de se rendre du village de Huchepoche à celui de La Guinelais-en-Pleumeleuc.

11. Pour La Borderie, le seul pont qui permettait alors aux quêteurs de franchir la rivière de Perronai se situait à Rauzel ou Rauzé – nom déformé dans le texte de du Fail en Janzé (bourg situé dans une autre région).

12. Pays imaginaire, décrit dans la célèbre *Utopia* de Thomas More (1518).

13. Rabelais parlera lui aussi dans le *Quart livre* (1552) de l'épée Baise-mon-cul-à-deux-mains (ch. 41). S'agit-il d'un nom parodiant les usages de la chevalerie, ou d'un terme d'escrime désignant un type d'épée? Il est difficile de répondre.

14. Punition infâmante, sorte de réparation publique infligée par l'ancienne législation française à certains criminels.

15. Lettre qui est lue au prône des paroisses sur ordre du juge, pour obliger les fidèles à venir déposer ce qu'ils savent sur l'affaire qui l'occupe, sous peine d'excommunication.

16. Ils avaient eu lieu en 1546.

XI

1. Le duc Jean II de Bretagne avait institué cette milice dès 1425. Chaque village devait fournir un fantassin en temps de guerre; ce franc-archer était exempté de la taille et entretenu par chaque paroisse; il était donc privilégié et se trouvait en conséquence en butte à la satire.

2. En héraldique, billette désigne un rectangle plein; un blason billeté est donc chargé de billettes : ce sont ici des lardons!

3. Peuple de fantaisie, que Rabelais évoque à plusieurs reprises.

4. Expression empruntée au droit, pour désigner le devoir conjugal.

5. Acte extra-judiciaire, par lequel le porteur d'un effet de commerce fait constater que le débiteur refuse soit d'accepter (protêt faute d'acceptation), soit de payer sa dette (protêt faute de payement). Il s'agit ici du second cas, et la figure est la même que pour les arrérages.

6. Allusion comique, dans la bouche d'un roturier, à l'ordonnance rendue en 1185 par le duc de Bretagne Geoffroy II, qui règle le partage des biens nobles.

XII

1. Plaisanterie sur un proverbe gastronomique : « De tous poissons, fors de la tenche, / Prenez le dos, laissez la panche » (la panse). Rabelais avait déjà dit : « De tous poissons, fors que la tanche, prenez l'aelle de la perdrys, ou la cuisse d'une nonnain. » (*Gargantua,* XXXVII).

2. Reine mythique du pays de Cocagne.

3. Les Bretons ont toujours passé pour de grands buveurs. Rabelais disait : « A la mode de Bretaigne! Net, net à ce pyot » (sus, sus à ce vin!) (*Gargantua,* IV).

XIII

1. Anagramme probable de du Phail, autre manière d'orthographier son nom.

2. Gargantua jouait à « cochonnet va devant » (*Gargantua,* XX) : c'est à qui, dans ce jeu, ramassera le plus vite un objet.

3. C'était une vaste prairie qui s'étendait à l'ouest des remparts de Rennes, là où se trouvent actuellement le canal et une partie du Mail. Quant à Bléron, il s'agit peut-être du village situé dans la commune de Châtillon-en-Vendelais, canton de Vitré.

4. Souvenir du temps où l'on achetait sa femme. Le symbole

en est resté sous la forme de cette petite somme d'argent. Très tôt, le prix de l'épouse fut fixé à treize deniers, au point que le treizain (pièce de monnaie valant treize deniers) est donné comme le nom de la pièce de mariage encore au XVIIᵉ siècle.

5. Les Prés-Fichaux étaient situés un peu à l'extérieur des remparts de Bourges.

6. Abréviation, dans la langue scolastique, de Socrate; dom désignait un prêtre, et non un moine, à cette époque.

7. Chef-lieu de canton de l'arrondissement de Monfort (I.-&-V.).

8. L'expression peut être empruntée soit au jeu de paume, soit aux règles de l'escrime.

9. Monfort-sur-Meu.

ORIENTATION BIBLIOGRAPHIQUE

1) Œuvres de Noël du Fail

Outre l'édition Jourda des *Propos rustiques* dans le volume des *Conteurs français du XVIe siècle* de la « Bibliothèque de la Pléiade », dont le texte n'est pas sûr, la seule œuvre de du Fail, disponible sur le marché, établie avec soin et éclairée de l'indispensable appareil critique, est celle des *Baliverneries d'Eutrapel* par Gaël Milin (Paris, Klincksieck, 1970 – se trouve aujourd'hui seulement aux Presses de l'Université de Rennes II, qui détient le stock). Tous les recenseurs ont dit le bien que méritait ce travail, à la fois personnel et nourri des notes laissées par Emmanuel Philipot où l'on trouvera (p. 15-19) la bibliographie la plus complète sur l'écrivain breton et à laquelle nous renvoyons le curieux pour les études de détail antérieures à 1970.

Bien qu'elle soit épuisée depuis longtemps, l'édition La Borderie des *Propos rustiques* (Paris, Lemerre, 1878) – que Milin omet dans sa liste (p. 15) d'inexplicable façon alors qu'il indique des rééditions sans intérêt – peut se lire (et s'acheter!) grâce à la réimpression donnée par Slatkine Reprints à Genève (1976); c'est là un moindre mal, s'agissant – et de loin – de la meilleure édition de ce texte.

On lira en revanche les *Contes d'Eutrapel* dans les volumes des *Œuvres facétieuses*, publiés dans la « Bibliothèque elzévirienne » par J. Assézat en 1874.

La situation éditoriale de du Fail est en somme, en cette fin du XXe siècle, et malgré la faveur qu'il rencontre comme on va le voir dans la critique internationale, bien pire qu'elle n'était cent ans plus tôt. C'est à peine si l'on mentionnera l'effort de L.-R. Lefèvre pour intégrer dans l'annotation de la médiocre édition des *Propos rustiques, suivis des Baliverneries*, qu'il donna chez Garnier en 1928, les sources les plus importantes de ces ouvrages, découvertes quelques années plus tôt par Emmanuel Philipot, dont on ne regrettera jamais assez qu'il n'ait pas donné lui-même les éditions impeccables qu'assurait sa science.

Au moment où nous écrivons, G.-A. Pérouse achève une édition des *Propos rustiques* dont tout le monde attend beaucoup.

2) Travaux critiques

La thèse d'Emmanuel Philipot, *La Vie et l'œuvre littéraire de Noël du Fail, gentilhomme breton* (Paris, 1914), augmentée de sa thèse complémentaire, *Essai sur le style et la langue de Noël du Fail* (Paris, 1914), constitue non seulement un point de départ inévitable mais encore une somme dont on met longtemps à digérer les richesses : il est bon par exemple de savoir que l'index, quoique copieux, est loin d'être exhaustif et que le lecteur ne revient jamais bredouille d'une excursion dans les riches notes d'un livre parfois un peu brouillon dans son économie.

Depuis Philipot, aucune entreprise de cette ampleur n'a été vouée à du Fail, ce qui ne revient pas à dire que nos connaissances n'ont pas progressé. Charles Dedeyan a publié dans les *Mém. Soc. Bretagne* (VIII (1927), p. 257-276), les *Annales de Bretagne* (LI, 1944, p. 206-217) et dans les *Mélanges Chamard* trois études sagaces et d'autant plus remarquables qu'elles troublaient enfin le silence.

Si l'on néglige les mentions qui se rencontrent dans des ouvrages généraux, on a tôt fait de dénombrer les apports importants à la critique « faillienne » des dernières années. Par un chapitre de ses *Nouvelles françaises du XVIᵉ siècle* (Genève, Droz, 1977) et par deux articles neufs et stimulants (« Noblesse et pouvoir royal selon Noël du Fail » dans *Culture et pouvoir au temps de l'Humanisme et de la Renaissance*, Genève, Slatkine,

164

1978, p. 361-371 et « Le Dessein des *Propos rustiques* » dans *Études seizièmistes, offertes à Monsieur le Professeur V.-L. Saulnier*, Genève, Droz, 1980, p. 137-150), G.-A. Pérouse s'affirme comme l'un des plus fins, et aussi des plus enthousiastes, lecteurs contemporains de du Fail, à quoi sa parfaite connaissance des autres « conteurs » du XVIᵉ siècle se montre des plus utiles.

A Gaël Milin, nous devons, outre l'édition citée des *Baliverneries*, une étude, largement fondée sur l'anthropologie historique, « *Les Baliverneries d'Eutrapel*, document historique » dans les *Annales de Bretagne*, 1977, p. 533-96.

On notera enfin, comme preuves de la vigueur de l'intérêt provoqué par notre auteur et comme témoins de sa diffusion, deux thèses américaines, *Les « Contes et discours d'Eutrapel » de Noël du Fail*, par Yvonne Marie Lataste (Univ. du Colorado, 1972 – disponible comme tous les Ph. D. en Xerox Copy), et *Les Modulations du point de vue narratif dans les « Contes et discours d'Eutrapel » de Noël du Fail* par Ohannes Léon Bezazian (Univ. de l'Oregon, 1975). Si la lecture de ces deux ouvrages, à laquelle nous nous sommes astreints, ne conduit pas à les recommander, du moins leurs auteurs font-ils acte de zèle, et de zèle louable.

M. S.

TABLE DES MATIÈRES

Imprimé en France
par la SOCIÉTÉ NOUVELLE FIRMIN-DIDOT
Dépôt légal : janvier 1987
N° d'édition : 80 – N° d'impression : 5961